建設業経理士検定試験過去問題集

1級 原価計算

解答&解説 第6版

第34回

問題

〔第１問〕　次の問に解答しなさい。各問ともに指定した字数以内で記入すること。　(20点)

問１　社内に対する建設業原価計算の目的について説明しなさい。(300字)

問２　積算上の直接工事費としての経費と完成工事原価報告書上の経費の相違点について説明しなさい。(200字)

解答＆解説

問１

社内に対する建設業原価計算の目的は、①個別工事原価管理と②全社的利益管理でそれが活用されることにある。①個別工事原価管理とは、「事前に工事別の実行予算原価を作成し、これに基づき日常的作業コントロールを実施し、事後には予算と実績との差異分析をし、これらに関する原価資料を、逐次経営管理者各層に報告し、原価能率を増進する措置を講ずる」という一連の過程をいう。その一連の過程で、原価計算が実施されることになる。②全社的利益管理では、経済変動、受注動向、企業特質などを勘案して全社的、期間的な目標工事高や予定工事原価や目標利益等が策定される。その予定工事原価の算定において、原価計算が実施されることになる。

問2

積算上の直接工事費としての経費とは、工事目的物を造るために直接必要とする直接工事費のうち、材料費、労務費、外注費以外の費用をいう。完成工事原価報告書上の経費とは、直接工事費としての工事経費、共通仮設費としての経費、現場管理費たる経費で構成される。それらの相違点は、前者は直接工事費としての工事経費だけが対象であるのに対し、後者はそれ以外に共通仮設費としての経費、現場管理費たる経費が含まれる点にある。

問1　対内的原価計算目的

（1）個別工事原価管理目的

建設業の原価管理は，基本的に，個別工事単位で実施される。なぜならば，原価の発生場所が主として工事現場であり，その現場は期間有限の移動性をもち，しかも各現場は個々の事情をもつ単品生産であるからである。建設業の個別工事原価管理とは，工事別の実行予算原価を作成し，これに基づき日常的作業コントロールを実施し，事後には予算と実績との差異分析をし，これらに関する原価資料を，逐次経営管理者各層に報告し，原価能率を増進する措置を講ずる一連の過程をいう。この過程は，「開示財務諸表作成の目的（対外的原価計算目的）」と有機的に結合して，制度的に実行されることが望ましい。

（2）全社的利益管理目的

企業経営の安定的成長のためには，広い視野による計画的経営が必要である。一般に，この計画経営のためには，数年を対象とした長期利益計画と，次期を対象とした短期利益計画すなわち具体的に示現される予算とがある。

利益計画とは，経済変動，受注動向，企業特質などを勘案して目標利益もしくは利益率を策定し，その実現のために，目標工事高および工事原価を予定計算することであるから，ここに，全社的，期間的な予定（見積）原価計算が実施される。

このような利益計画の過程では，各種の選択的な意思決定があり，このための特別な計画原価の算定が，制度外で臨時的に行われる。

問 2

建設業原価計算には，大別して，「積算や実行予算作成を中心とする事前原価計算」と「実際工事原価の測定を目的とする事後原価計算」の２つがある。両者において，経費の概念は，大きく異なっていることに留意されたい。工事原価において，経費の概念をまとめると以下のようになる。

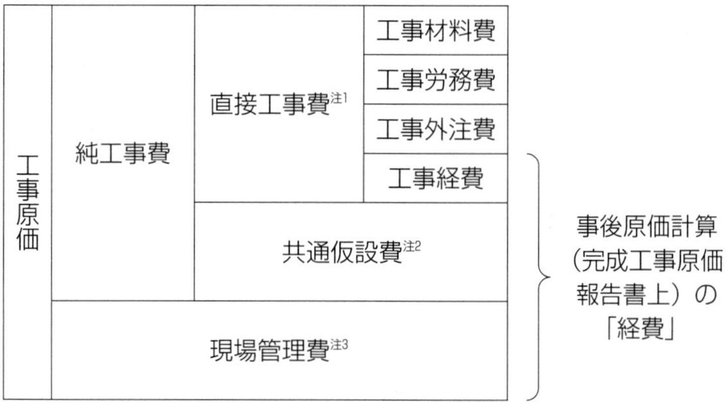

注１：直接工事費とは，工事目的物を造るために直接必要とする費用で，直接仮設に要する費用を含む。
注２：共通仮設費とは，各工事種目に共通の仮設に要する費用である。
注３：現場管理費とは，工事施工に当たり，工事現場を管理運営するために必要な費用で，共通仮設費以外の費用である。

以上のように，事後原価計算では，直接工事費としての工事経費，共通仮設費としての経費，現場管理費たる経費が，経費として混在していることになる。このあたりに「完成工事原価報告書」の在り方として，１つの課題が残されているといえよう。

問題

〔第2問〕　経営意思決定の特殊原価分析に関する次の各文章は正しいか否か。正しい場合は「A」、正しくない場合は「B」を解答用紙の所定の欄に記入しなさい。　(12点)

1．関連原価（relevant costs）は代替案選択の意思決定における重要な概念である。その分析では、代替案間で金額が異ならない未来原価（future costs）を関連原価に集計する。

2．ある案を選択することで他の代替案を選択できなくなることがある。選択されない各代替案から得られるであろう利益の中で最小のものを機会原価（opportunity costs）という。

3．原価の発生が既に確定し、どの代替案を選択しても回避不能な原価を埋没原価（sunk costs）という。

4．遊休生産能力があり、かつ、新規顧客から通常価格より低い価格の特別注文がある場合、その差額利益がプラスであるとしても、既存顧客からの受注への影響を考慮すると、この特別注文を引き受けるとは限らない。

5．固定費は操業度の増減にかかわらず一定期間変化せず同額が発生する原価である。固定費の全てが埋没原価になるとは限らない。

6．設備投資の意思決定モデルの一つである回収期間法の欠点として、投資額を回収した後のキャッシュ・フローおよび貨幣の時間価値をそれぞれ無視していることがあげられる。これら二つの欠点は、割引回収期間法を採用することで克服される。

解答&解説

記号（AまたはB）

1	2	3	4	5	6
B	B	A	A	A	B

問題	正解	解　説
1	B	「代替案間で金額が異ならない未来原価」ではなく，「代替案間で金額が異なる未来原価」が正しい。
2	B	「最小」ではなく，「最大」が正しい。
3	A	埋没原価とは，ある投資プロジェクトから撤退しても回収できない費用（回避不能原価）や，過去の意思決定によってすでに発生した原価（過去原価）であって各代替案を選択してもそれによって変化することはない原価を意味する。無関連原価とも呼ばれ，意思決定の財務的評価において考慮する必要のない原価を総称している。
4	A	問題文のとおり。
5	A	意思決定内容によっては，固定費であっても，関連原価に該当することがある。
6	B	割引回収期間法を採用しても，投資額を回収した後のキャッシュ・フローについての欠点は，克服されない。

問題

〔第3問〕　S建設工業株式会社は、近隣に多くの工事現場を同時に保有することが多く、建設機械や資材等の運搬に多くのコストを要する。この原価管理のために、重要な保有車両であるA、B、Cをコスト・センター化し、走行距離1km当たり車両費率（円／km）を予め算定し、これを用いて各現場に予定配賦している。次の<資料>によって、当月の各現場（No.101～No.104）への車両費配賦額を算定しなさい。なお、走行距離1km当たり車両費率の算定に際しては小数点第3位を四捨五入し、当月の各現場への車両費配賦額の算定に際しては円未満を四捨五入すること。　(16点)

<資料>

1．走行距離1km当たり車両費率を予め算定するための資料

(1)　車両関係予算額

①　個別費の車両別内訳　(単位：円)

	車両A	車両B	車両C
減価償却費	827,600	620,700	620,700
修繕費	245,900	99,500	111,500
燃料費	522,000	387,700	349,500
税金	161,000	77,000	97,000
保険料	165,600	76,000	131,900

②　共通費

油脂代　¥288,650　消耗品費　¥379,500　福利厚生費　¥235,300
雑費　¥105,500

(2)　共通費の配賦基準と基準数値

	配賦基準	車両A	車両B	車両C
油脂代	走行距離	8,600 km	8,400 km	8,100 km
消耗品費	車両重量	12 t	11 t	10 t
福利厚生費	関係人員	9人	8人	9人
雑費	減価償却費額	個別費の車両別内訳を参照のこと		

2．当月の現場別車両使用実績　(単位：km)

	車両A	車両B	車両C
No.101現場	275	——	285
No.102現場	215	180	55
No.103現場	63	110	85
No.104現場	——	385	305

解答&解説

No.101 現場	¥ 130407
No.102 現場	¥ 102174
No.103 現場	¥ 54641
No.104 現場	¥ 134229

（単位：円）

(1) 油脂代（共通費）の配賦額

・配賦率＝288, 650÷（8, 600km＋8, 400km＋8, 100km）＝@11. 5

・車両Ａ：@11. 5×8, 600km＝98, 900

・車両Ｂ：@11. 5×8, 400km＝96, 600

・車両Ｃ：@11. 5×8, 100km＝93, 150

(2) 消耗品費（共通費）の配賦額

・配賦率＝379, 500÷（12t＋11t＋10t）＝@11, 500

・車両Ａ：@11, 500×12t＝138, 000

・車両Ｂ：@11, 500×11t＝126, 500

・車両Ｃ：@11, 500×10t＝115, 000

(3) 福利厚生費（共通費）の配賦額

・配賦率＝235, 300÷（９人＋８人＋９人）＝@9, 050

・車両Ａ：@9, 050×９人＝81, 450

・車両Ｂ：@9, 050×８人＝72, 400

・車両Ｃ：@9, 050×９人＝81, 450

(4) 雑費（共通費）の配賦額　※配賦率が割り切れないので，分数表示にしている。

・車両Ａ：$105,500\times\frac{827,600}{827,600+620,700+620,700}=42,200$

・車両Ｂ：$105,500\times\frac{620,700}{827,600+620,700+620,700}=31,650$

・車両Ｃ：$105,500\times\frac{620,700}{827,600+620,700+620,700}=31,650$

(5) 車両別予算表と車両費率

車両別予算表

(単位：円)

費　目	合　計	車両A	車両B	車両C
車両個別費				
減価償却費	2,069,000	827,600	620,700	620,700
修繕費	456,900	245,900	99,500	111,500
燃料費	1,259,200	522,000	387,700	349,500
税金	335,000	161,000	77,000	97,000
保険料	373,500	165,600	76,000	131,900
個別費計	4,493,600	1,922,100	1,260,900	1,310,600
車両共通費				
油脂代	288,650	98,900	96,600	93,150
消耗品費	379,500	138,000	126,500	115,000
福利厚生費	235,300	81,450	72,400	81,450
雑費	105,500	42,200	31,650	31,650
共通費計	1,008,950	360,550	327,150	321,250
合　計①	5,502,550	2,282,650	1,588,050	1,631,850
予定走行距離②		8,600km	8,400km	8,100km
車両費率（円／km）	①÷②	@265.42	@189.05	@201.46

(6) 車両費配賦額計算と車両費配賦額表

・車両A

・No.101現場：@265.42×275km＝72,990.5≒72,991

・No.102現場：@265.42×215km＝57,065.3≒57,065

・No.103現場：@265.42×　63km＝16,721.46≒16,721

・No.104現場：0

・車両B

・No.101現場：0

・No.102現場：@189.05×180km＝34,029

・No.103現場：@189.05×110km＝20,795.5≒20,796

・No.104現場：@189.05×385km＝72,784.25≒72,784

・車両C

・No.101現場：@201.46×285km＝57,416.1≒57,416

・No.102現場：@201.46× 55km＝11,080.3≒11,080

・No.103現場：@201.46× 85km＝17,124.1≒17,124

・No.104現場：@201.46×305km＝61,445.3≒61,445

車両費配賦額表

（単位：円）

	車両A @265.42	車両B @189.05	車両C @201.46	合　計
No.101現場	72,991	0	57,416	130,407
No.102現場	57,065	34,029	11,080	102,174
No.103現場	16,721	20,796	17,124	54,641
No.104現場	0	72,784	61,445	134,229
合　計	146,777	127,609	147,065	421,451

問題

〔第 4 問〕　G 建設株式会社では、現在（20×3 年度末）、3 年前に購入し使用してきた機械（以下、旧機械）を高性能の新機械に取り替えるかどうかについて検討している。次の＜資料＞に基づいて、下記の設問に答えなさい。なお、計算の過程で端数が生じた場合は、計算途中では四捨五入せず、最終数値の円未満を四捨五入すること。　　（18 点）

＜資料＞

旧機械は取得原価￥45,000,000、耐用年数 6 年、残存価額ゼロとして、定額法による減価償却を過不足なく行ってきている。新機械の購入価額は￥60,000,000、耐用年数 3 年、残存価額ゼロとして、定額法による減価償却を行う予定である。旧機械から新機械に取り替えると今後 3 年間（20×4 年度～ 20×6 年度）にわたり、毎年、現金売上高がそれまでの年￥26,000,000 から年￥37,000,000 に増加し、現金支出費用は年￥11,000,000 から年￥8,000,000 に減少すると予想される。なお、新機械に取り替える場合、旧機械はその時の簿価で引き取ってもらう約束である。また、旧機械と新機械のいずれも 3 年後の耐用年数到来時の売却価額はゼロと予想される。今後 3 年間にわたり黒字が継続すると見込まれる。実効税率は 40 % である。

問 1　旧機械を新機械に取り替える場合の 20×3 年度および 20×4 年度のキャッシュ・フローの純増減額を計算しなさい。インフローの場合は「A」、アウトフローの場合は「B」を記入すること。

問 2　新機械に取り替える場合、旧機械をそのまま用いる場合に比べていくら有利または不利になるかを正味現在価値法によって判定しなさい。有利の場合は「A」、不利の場合は「B」を記入すること。ただし、各年度のキャッシュ・フローは年度末に生じるものとする。税引後資本コスト率を 8 % とし、計算にあたっては次の複利現価係数を用いること。

	1 年	2 年	3 年
8 %	0.926	0.857	0.794

解答＆解説

問 1

20×3 年度　¥ 37500000　記号（AまたはB）　B

20×4 年度　¥ 13400000　記号（AまたはB）　A

問 2

¥ 2968200　記号（AまたはB）　B

問 1

(1)　旧機械を新機械に取り替える場合の20× 3 年度のキャッシュ・フローの純増減額

・旧機械の年間減価償却費＝（¥45,000,000－¥0）÷6年＝¥7,500,000

・旧機械の簿価（売却額）＝¥45,000,000－（¥7,500,000[※年間減価償却費]×経過年数3年）

＝¥22,500,000

・当該純増減額＝旧機械の売却額－新機械の取得原価

＝¥22,500,000－¥60,000,000＝△¥37,500,000（アウトフロー）

(2) 20×4年度のキャッシュ・フローの純増減額

キャッシュ・フロー純増減額表

	旧機械	新機械	
①現金売上高	¥26,000,000	¥37,000,000	
②現金支出費用	¥11,000,000	¥8,000,000	
③差引（①－②）	¥15,000,000	¥29,000,000	
④法人税等（③×40%）	¥6,000,000	¥11,600,000	
⑤タックス・シールド※	¥3,000,000	¥8,000,000	純増減額
⑥キャッシュ・インフロー（③－④＋⑤）	¥12,000,000	¥25,400,000	＋¥13,400,000

※タックス・シールド（法人税等節約額）の計算

・旧機械の年間減価償却費＝（¥45,000,000－¥0）÷6年＝¥7,500,000

・旧機械のタックス・シールド＝減価償却費×実効税率＝¥7,500,000×40%＝¥3,000,000

・新機械の年間減価償却費＝（¥60,000,000－¥0）÷3年＝¥20,000,000

・新機械のタックス・シールド＝減価償却費×実効税率＝¥20,000,000×40%＝¥8,000,000

問2

(1) 各年度のキャッシュ・インフローの純増減額の現在価値

・当該純増減額[※問1(2)]×複利現価係数の合計＝¥13,400,000×（0.926＋0.857＋0.794）

＝¥34,531,800

(2) 旧機械を新機械に取り換える場合のキャッシュ・アウトフロー：¥37,500,000[※問1(1)]

(3) 正味現在価値法による判定

・インフロー[※問2(1)]－アウトフロー[※問2(2)]＝¥34,531,800－¥37,500,000

＝△¥2,968,200（不利）

問題

〔第５問〕　下記の＜資料＞は、X建設工業株式会社（当会計期間：20×8年４月１日〜20×9年３月31日）における20×8年７月の工事原価計算関係資料である。次の設問に解答しなさい。月次で発生する原価差異は、そのまま翌月に繰り越す処理をしている。なお、計算の過程で端数が生じた場合は、円未満を四捨五入すること。　(34点)

問１　工事完成基準を採用して当月の完成工事原価報告書を作成しなさい。

問２　当月末における未成工事支出金の勘定残高を計算しなさい。

問３　次の配賦差異について当月末の勘定残高を計算しなさい。なお、それらの差異について、借方残高の場合は「A」、貸方残高の場合は「B」を解答用紙の所定の欄に記入すること。
①　重機械部門費予算差異　　②　重機械部門費操業度差異

＜資料＞

１．当月の工事の状況

工事番号	着工	竣工
５０１	前月以前	当月
６０２	前月以前	当月
７０１	当月	当月
７０２	当月	月末現在未成

２．月初における前月繰越金額

⑴　月初未成工事原価の内訳　(単位：円)

工事番号	材料費	労務費	外注費（労務外注費）	経費（人件費）	合計
５０１	125,700	88,300	133,300（ 98,800）	86,080（53,900）	433,380
６０２	66,600	65,000	76,100（ 45,550）	35,400（28,800）	243,100
計	192,300	153,300	209,400（144,350）	121,480（82,700）	676,480

（注）（　）の数値は、当該費目の内書の金額である。

⑵　配賦差異の残高

重機械部門費予算差異　¥2,050（借方）　　重機械部門費操業度差異　¥3,900（貸方）

３．当月の材料費に関する資料

⑴　甲材料は常備材料で、材料元帳を作成して実際消費額を計算している。消費単価の計算について先入先出法を採用している。当月の材料元帳の記録は次のとおりである。

日　付	摘　要	単価（円）	数量（単位）
7月1日	前月繰越	10,500	30
4日	購入	11,000	70
7日	７０１工事で消費		60
10日	購入	12,500	50
15日	６０２工事で消費		70
18日	戻り		10
21日	購入	13,000	50
25日	７０２工事で消費		60
31日	月末在庫		20

（注１）11日に10日購入分として、¥25,000の値引を受けた。

（注２）18日の戻りは７日出庫分である。戻りは出庫の取り消しとして処理し、戻り材料は次回の出庫のとき最初に出庫させること。

（注３）棚卸減耗は発生しなかった。

⑵　乙材料は仮設工事用の資材で、工事原価への算入はすくい出し法により処理している。当月の工事別関係資料は

次のとおりである。

（単位：円）

工事番号	501	602	701	702
当月仮設資材投入額	（注）	36,000	45,900	40,400
仮設工事完了時評価額	10,100	11,500	17,300	（仮設工事未了）

（注）５０１工事の仮設工事は前月までに完了し、その資材投入額は前月末の未成工事支出金に含まれている。

４．当月の労務費に関する資料

当社では、重機械のオペレーターとして月給制の従業員を雇用している。基本給および基本手当については、原則として工事作業に従事した日数によって実際発生額を配賦している。ただし、特定の工事に関することが判明している残業手当は、当該工事原価に算入する。当月の関係資料は次のとおりである。

⑴　支払賃金（基本給および基本手当　対象期間６月25日～７月24日）　￥805,000

⑵　残業手当（602工事　対象期間７月25日～７月31日）　￥26,000

⑶　前月末未払賃金計上額　￥111,800

⑷　当月末未払賃金要計上額（ただし残業手当を除く）　￥94,300

⑸　工事従事日数　（単位：日）

工事番号	501	602	701	702	合計
工事従事日数	3	7	9	6	25

５．当月の外注費に関する資料

当社の外注工事には、資材購入や重機械工事を含むもの（一般外注）と労務提供を主体とするもの（労務外注）がある。当月の工事別の実際発生額は次のとおりである。

（単位：円）

工事番号	501	602	701	702	合計
一般外注	26,500	97,100	155,900	65,900	345,400
労務外注	18,000	77,200	127,000	49,000	271,200

（注）労務外注費は、完成工事原価報告書においては労務費に含めて記載することとしている。

６．当月の経費に関する資料

⑴　直接経費の内訳　（単位：円）

工事番号	501	602	701	702	合計
動力用水光熱費	5,000	5,700	9,400	11,300	31,400
労務管理費	2,000	4,200	6,100	9,400	21,700
従業員給料手当	9,900	18,800	25,800	35,100	89,600
法定福利費	1,100	4,050	4,000	5,550	14,700
福利厚生費	2,500	4,300	6,060	6,800	19,660
事務用品費	800	2,200	2,100	4,800	9,900
計	21,300	39,250	53,460	72,950	186,960

（注）経費に含まれる人件費の計算において、退職金および退職給付引当金繰入額は考慮しない。

⑵　役員であるＳ氏は一般管理業務に携わるとともに、施工管理技術者の資格で現場管理業務も兼務している。役員報酬のうち、担当した当該業務に係る分は、従事時間数により工事原価に算入している。また、工事原価と一般管理費の業務との間には等価係数を設定している。関係資料は次のとおりである。

⒜　Ｓ氏の当月役員報酬額　￥672,000

⒝　施工管理業務の従事時間　（単位：時間）

工事番号	501	602	701	702	合計
従事時間	8	20	12	20	60

⒞　役員としての一般管理業務は120時間であった。

⒟　業務間の等価係数（業務１時間当たり）は次のとおりである。

施工管理　1.2　　一般管理　1.0

⑶　工事に利用する重機械に関係する費用（重機械部門費）は、固定予算方式によって予定配賦している。当月の関係資料は次のとおりである。

(a) 固定予算（月間換算）

基準重機械運転時間　180 時間　　その固定予算額　¥234,000

(b) 工事別の使用実績　（単位：時間）

工事番号	501	602	701	702	合計
従事時間	19	60	55	50	184

(c) 重機械部門費の当月実際発生額　¥246,000

(d) 重機械部門費はすべて人件費を含まない経費である。

解答&解説

問1

完成工事原価報告書

自　20×8 年 7 月 1 日
至　20×8 年 7 月 31 日

X 建設工業株式会社

（単位：円）

Ⅰ．材料費		1570300
Ⅱ．労務費		1144350
（うち労務外注費	366550 ）	
Ⅲ．外注費		344550
Ⅳ．経　費		577690
（うち人件費	327210 ）	
完成工事原価		3636890

問2

¥ 1306250

問3

① 重機械部門費予算差異　¥ 14050　記号（AまたはB） A

② 重機械部門費操業度差異　¥ 9100　記号（ 同 上 ） B

（単位：円）

問 1

原価計算表

	501工事		602工事		701工事	702工事	合　計
	前月繰越	当月発生	前月繰越	当月発生	当月発生	当月発生	
Ⅰ．材料費							
前月繰越	125, 700	—	66, 600	—	—	—	192, 300
甲材料費	—	0	—	800, 000	535, 000	740, 000	2, 075, 000
乙材料費	—	△ 10, 100	—	24, 500	28, 600	40, 400	83, 400
〔材料費合計〕	〔125, 700〕	〔△10, 100〕	〔66, 600〕	〔824, 500〕	〔563, 600〕	〔780, 400〕	〔2, 350, 700〕
Ⅱ．労務費							
前月繰越	187, 100	—	110, 550	—	—	—	297, 650
労務費	—	94, 500	—	246, 500	283, 500	189, 000	813, 500
労務外注費	—	18, 000	—	77, 200	127, 000	49, 000	271, 200
〔労務費合計〕	〔187, 100〕	〔112, 500〕	〔110, 550〕	〔323, 700〕	〔410, 500〕	〔238, 000〕	〔1, 382, 350〕
Ⅲ．外注費							
前月繰越	34, 500	—	30, 550	—	—	—	65, 050
一般外注費	—	26, 500	—	97, 100	155, 900	65, 900	345, 400
〔外注費合計〕	〔34, 500〕	〔26, 500〕	〔30, 550〕	〔97, 100〕	〔155, 900〕	〔65, 900〕	〔410, 450〕
Ⅳ．経費							
前月繰越	86, 080	—	35, 400	—	—	—	121, 480
直接経費合計	—	21, 300	—	39, 250	53, 460	72, 950	186, 960
S氏役員報酬	—	33, 600	—	84, 000	50, 400	84, 000	252, 000
重機械部門費	—	24, 700	—	78, 000	71, 500	65, 000	239, 200
〔経費合計〕	〔86, 080〕	〔79, 600〕	〔35, 400〕	〔201, 250〕	〔175, 360〕	〔221, 950〕	〔799, 640〕
当月完成工事原価	433, 380	208, 500	243, 100	1, 446, 550	1, 305, 360		3, 636, 890
当月末未成工事原価						1, 306, 250	1, 306, 250

(1) 甲材料費

材料元帳

〈先入先出法〉

月	日	摘要	受入			払出			残高		
			数量	単価（円）	金額（円）	数量	単価（円）	金額（円）	数量	単価（円）	金額（円）
7	1	前月繰越	30	10,500	315,000				30	10,500	315,000
	4	購入	70	11,000	770,000				30 70	10,500 11,000	315,000 770,000
	7	701工事で消費				30 30	10,500 11,000	315,000 330,000	40	11,000	440,000
	10	購入	50	12,500	625,000				40 50	11,000 12,500	440,000 625,000
	11	値引			△ 25,000				40 50	11,000 12,000	440,000 600,000
	15	602工事で消費				40 30	11,000 12,000	440,000 360,000	20	12,000	240,000
	18	701工事の戻り				△ 10	11,000	△ 110,000	10 20	11,000 12,000	110,000 240,000
	21	購入	50	13,000	650,000				10 20 50	11,000 12,000 13,000	110,000 240,000 650,000
	25	702工事で消費				10 20 30	11,000 12,000 13,000	110,000 240,000 390,000	20	13,000	260,000
	31	次月繰越				20	13,000	260,000			
			200	—	2,335,000	200	—	2,335,000			

・501工事： 0

・602工事：440,000＋360,000＝800,000

・701工事：315,000＋330,000－110,000＝535,000

・702工事：110,000＋240,000＋390,000＝740,000　　合計：2,075,000

(2) 乙材料費（すくい出し法）

・501工事：△10,100

・602工事：36,000－11,500＝24,500

・701工事：45,900－17,300＝28,600

・702工事：40,400　　合計：83,400

(3) 労務費

・労務費＝支払賃金－前月末未払賃金＋当月末未払賃金

　　　　＝805,000－111,800＋94,300＝787,500

・賃率＝787,500÷25日＝@31,500

・501工事：@31,500×3日＝94,500

・602工事：@31,500×7日＋残業手当26,000＝246,500

・701工事：@31,500×9日＝283,500

・702工事：@31,500×6日＝189,000　　合計：813,500

(4) S氏役員報酬

・工事原価＝$672,000\times\frac{60時間\times1.2}{60時間\times1.2+120時間\times1.0}=252,000$

・配賦率＝252,000÷60時間＝@4,200

・501工事：@4,200×8時間＝33,600

・602工事：@4,200×20時間＝84,000

・701工事：@4,200×12時間＝50,400

・702工事：@4,200×20時間＝84,000　　合計：252,000

(5) 重機械部門費

・固定費率＝234,000÷180時間＝@1,300

・501工事：@1,300×19時間＝24,700

・602工事：@1,300×60時間＝78,000

・701工事：@1,300×55時間＝71,500

・702工事：@1,300×50時間＝65,000　　合計：239,200

(6) 完成工事原価報告書の作成

前記の「原価計算表」の完成工事（501工事，602工事および701工事）について，各費目合計等を集計すると以下のようになり，解答である完成工事原価報告書が完成できる。なお，うち書きの「労務外注費」と「人件費」については，個別に集計する必要がある。

	501工事		602工事		701工事	合　計
	前月繰越	当月発生	前月繰越	当月発生	当月発生	
材料費	125, 700	△ 10, 100	66, 600	824, 500	563, 600	1, 570, 300
労務費	187, 100	112, 500	110, 550	323, 700	410, 500	1, 144, 350
外注費	34, 500	26, 500	30, 550	97, 100	155, 900	344, 550
経　費	86, 080	79, 600	35, 400	201, 250	175, 360	577, 690
完成工事原価						3, 636, 890

	501工事		602工事		701工事	合　計
	前月繰越	当月発生	前月繰越	当月発生	当月発生	
労務外注費	98, 800	18, 000	45, 550	77, 200	127, 000	366, 550

	501工事		602工事		701工事	合　計
	前月繰越	当月発生	前月繰越	当月発生	当月発生	
前月繰越	53, 900	—	28, 800	—	—	82, 700
従業員給料手当	—	9, 900	—	18, 800	25, 800	54, 500
法定福利費	—	1, 100	—	4, 050	4, 000	9, 150
福利厚生費	—	2, 500	—	4, 300	6, 060	12, 860
S氏役員報酬	—	33, 600	—	84, 000	50, 400	168, 000
人件費						327, 210

問２

当月末における未成工事支出金の勘定残高は，未完成工事原価を意味しているので，前記の「原価計算表」の当月末未成工事原価の合計金額（¥1, 306, 250）が正解となる。

問３

①重機械部門費予算差異

・当月の予算差異＝固定予算額－実際発生額

＝234, 000－246, 000＝△12, 000（借方差異）

・予算差異の月末残高＝前月繰越2, 050借方残高＋当月差異12, 000借方差異

＝14, 050（借方残高：A）

②重機械部門費操業度差異

・当月の操業度差異＝固定費率×（実際従事時間－基準運転時間）

＝@1, 300×（184時間－180時間）＝＋5, 200（貸方差異）

・操業度差異の月末残高＝前月繰越3, 900貸方残高＋当月差異5, 200貸方差異

＝9, 100（貸方残高：B）

【図解】重機械部門費差異（固定予算）

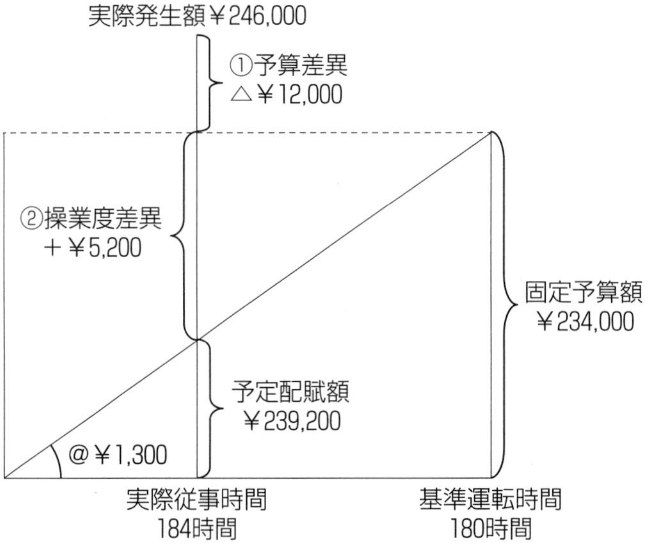

第33回

問題

〔第１問〕　次の問に解答しなさい。各問ともに指定した字数以内で記入すること。（20点）

問１　建設業で用いられる事前原価の種類について説明しなさい。（250字）

問２　工事間接費の配賦に予定配賦法を用いることの二つの意義について説明しなさい。（250字）

解答＆解説

問１

事前原価とは、行為の開始される前に測定される原価である。建設業で用いられる事前原価には、①見積原価、②予算原価及び③標準原価が挙げられる。①見積原価とは、注文獲得や契約価格設定のために算定される原価をいう。②予算原価とは、現実の企業行動を想定して算定される原価をいう。③標準原価とは、原価能率の増進のために、規準値として算定される原価をいう。②予算原価及び③標準原価は、予算管理制度あるいは原価管理制度としてシステム化されることが有効である。よって、それらは原価計算制度たる原価概念として機能する。

問2

予定配賦法を用いる意義については、計算の迅速性と配賦の正常性の二つが挙げられる。工事間接費の配賦計算を実際配賦法で行うと、その計算は原価計算期末にならないと実施できない。しかし、予定配賦法では、その計算を即座に算出することができる。また、実際配賦法を採用するとすれば、工事繁忙期には各工事原価に負担させる配賦額は少額となり、工事閑散期にはその配賦額が多額となってしまう。しかし、予定配賦法では、各月の全体の操業度の変動ではなく、同じような規模の工事には同程度の間接費負担をさせるように配慮している。

問1　事前原価

原価は，経営における諸行為の事前と事後で測定し得る。財務諸表作成のための原価計算では，原則として，事後の原価測定で事足りるが，経営管理目的と結合しなければならない計算制度では，事前の原価測定と事後での原価把握との関係を，いかに効果的に機能させるかに，そのシステムの成否の鍵がある。

事前原価は，行為の開始される前に測定される原価で，予定原価と呼ばれることもある。この事前原価には，広義では，次のようなものを考えることができる。

①　注文獲得や契約価格設定のために算定される見積原価

②　現実の企業行動を想定して算定される予算原価

③　原価能率の増進のために，規準値として算定される標準原価

①は財務会計機構と有機的に結合することはないから，一種の原価調査である。建設業では，独特の「積算」業務と深い関係のある原価測定である。これに対して，②および③は，予算管理制度あるいは原価管理制度としてシステム化されることが有効であるから，一般的には，原価計算制度たる原価概念として機能する。

建設業の事前原価として，①および②の原価は，非常に重要な原価測定作業であり，ごく一般に普及していると考えられるが，建設作業のＦＭＳ化，部分的標準化の動向と関連して，現場原価管理としての標準原価も，今後の研究課題として注目しておく必要がある。

問２　予定配賦法の意義

工事間接費の実際発生額を把握してから，その配賦計算を実施することは，「計算の迅速性」と「配賦の正常性」の２面から欠陥が生ずる。さらに，情報あるいはデータの適時性や有効性の利点なども加えて，実務においても，間接費もしくは共通費は，各生産物へ予定配賦法をもって配賦計算されるのが通例である。

(1)　計算の迅速性

工事間接費の配賦計算を実際額によって行うとすると，その計算は原価計算期末にならないと実施できない。なぜならば，配賦基準値としての直接賃金額や機械運転時間数などの実際値が，月末にならないと確定しないからである。

これでは，原価計算期間の途中で完了した作業の原価を即座に決定することができず，いろいろな面で不便な原価計算となってしまう。予定配賦法では，原価計算期間のはじめから配賦率をもっているので，完了作業の原価をわずかな時間で算出することができるようになる。

(2)　配賦の正常性

一般にいう製造間接費でも，建設業でいう工事間接費でも，この種のコストは，操業度の変動にほとんど影響されることのない固定費（キャパシティ・コスト）が大半を占めている。たとえば，建設用の機械や車両も仮設建物も，本質的には，減価償却によって費用化していくものであるから，その利用コストは固定費である。

もし，これらの原価について実際配賦法を採用するとすれば，工事繁忙期には，各工事原価に負担させる配賦額は少額となり，工事閑散期には，その配賦額が多額となってしまうことになる。その月の操業度の相違によって，工事間接費の負担額が異なるということは不公平である。

予定配賦法では，各月の全体の操業度の変動ではなく，同じような規模の工事には同程度の間接費負担をさせるように配慮している。この点を強調した配賦法を，特に正常配賦法と呼んでいる。

問題

〔第2問〕　当社の品質コストに関する次の＜資料＞を参照しながら、下記の文章の［　　］に入れるべき最も適当な用語・数値を＜用語・数値群＞の中から選び、その記号（ア～ス）で解答しなさい。（10点）

＜資料＞

	現在	1年後
苦情処理費	9,900万円	8,100万円
建物設計改善費	12,100万円	12,900万円
損害賠償費	4,100万円	3,200万円
購入資材受入検査費	4,400万円	5,000万円
訴訟費	7,800万円	7,200万円
品質保証教育訓練費	1,700万円	2,300万円
建造物自主検査費	6,000万円	6,200万円
手直費	3,300万円	3,200万円

品質コストは、品質適合コストと品質不適合コストに大別される。このうち品質適合コストはさらに、設計・仕様に合致しない建造物の施工を防ぐために発生するコストである［ 1 ］コストと、設計・仕様に合致しない建造物を発見するために発生するコストである［ 2 ］コストに分類できる。

当社では品質管理活動を充実させることを計画している。＜資料＞によれば、1年後の［ 1 ］コストは、現在の金額に比べて［ 3 ］万円増加し、1年後の［ 2 ］コストは、現在の金額に比べて［ 4 ］万円増加する予定である。一方、1年後の品質不適合コストは、現在の金額に比べて［ 5 ］万円減少することが見込まれているため、品質管理活動の充実は有益であると考えられる。

＜用語・数値群＞

ア　評価	イ　改善	ウ　予防	エ　設計
オ　失敗	カ　600	キ　800	ク　1,000
コ　1,200	サ　1,400	シ　2,800	ス　3,400

解答&解説

記号（ア～ス）

1	2	3	4	5
ウ	ア	サ	キ	ス

［ 1 ］は，「設計・仕様に合致しない建造物の施工を防ぐため」という記述により，「予防（ウ）」だと分かる。［ 2 ］は，「設計・仕様に合致しない建造物を発見するため」という記述により，「評価（ア）」が正解となる。

なお，品質原価計算における品質と品質コスト概念は，次のように分類される。まず，品質と品質コスト概念は，「設計品質」と「適合品質（施工品質）」とに大別される。次に，「適合品質（施工品質）」は，「品質適合コスト」と「品質不適合コスト（失敗コスト）」に分類される。さらに，「品質適合コスト」は，「予防コスト[1]」と「評価コスト[2]」に分けられる。一方，「品質不適合コスト（失敗コスト）」は，「内部失敗コスト」と「外部失敗コスト」に分けられる。

<table>
<tr><td rowspan="5">品質原価計算における品質と品質コスト概念</td><td colspan="3">設計品質</td></tr>
<tr><td rowspan="4">適合品質
（施工品質）</td><td rowspan="2">品質適合コスト</td><td>予防コスト[1]</td></tr>
<tr><td>評価コスト[2]</td></tr>
<tr><td rowspan="2">品質不適合コスト
（失敗コスト）</td><td>内部失敗コスト</td></tr>
<tr><td>外部失敗コスト</td></tr>
</table>

また，品質コストの意味と例示をまとめると，次の表のようになる。

<table>
<tr><td></td><td>基本的分類</td><td>品質コストの意味と例示</td></tr>
<tr><td rowspan="2">品質適合コスト</td><td>予防コスト
[1]</td><td>設計仕様に合致しない建造物の施工を防ぐために発生するコストのこと
（例）品質保証教育訓練費，設計改善費，工程改善費など</td></tr>
<tr><td>評価コスト
[2]</td><td>設計仕様に合致しない建造物を発見するために発生するコストのこと
（例）購入資材受入検査費，建造物の中間品質試験費，建造物最終検査費など</td></tr>
<tr><td rowspan="2">品質不適合コスト</td><td>内部失敗コスト</td><td>施主（発注者）に引き渡す前の施工段階で，欠陥や品質不良が発見された場合に生じるコストのこと
（例）手戻り，手直しに要するコストなど</td></tr>
<tr><td>外部失敗コスト</td><td>施主（発注者）に引き渡した後で，欠陥や品質不良が発見された場合に生じるコストのこと
（例）クレーム処理費，補償費，ブランド価値の低下など</td></tr>
</table>

上記の表から，問題の資料を以下のように分類でき，計算を進めることができる。

・予防コスト[1]：建物設計改善費，品質保証教育訓練費

・評価コスト[2]：購入資材受入検査費，建造物自主検査費

・内部失敗コスト：手直費

・外部失敗コスト：苦情処理費，損害賠償費，訴訟費

（単位：万円）

<table>
<tr><td rowspan="2">品質適合コスト</td><td>予防コスト
[1]</td><td>・建物設計改善費＝12, 900－12, 100＝＋800
・品質保証教育訓練費＝2, 300－1, 700＝＋600
合計[3]：1, 400（サ）増加</td></tr>
<tr><td>評価コスト
[2]</td><td>・購入資材受入検査費＝5, 000－4, 400＝＋600
・建造物自主検査費＝6, 200－6, 000＝＋200
合計[4]：800（キ）増加</td></tr>
<tr><td rowspan="2">品質不適合コスト</td><td>内部失敗コスト</td><td>・手直費＝3, 200－3, 300＝△100</td></tr>
<tr><td>外部失敗コスト</td><td>・苦情処理費＝8, 100－9, 900＝△1, 800
・損害賠償費＝3, 200－4, 100＝△900
・訴訟費＝7, 200－7, 800＝△600
合計[5]：3, 400（ス）減少</td></tr>
</table>

問題

〔第 3 問〕　当社では、鉄筋工事を第 1 部門と第 2 部門で実施している。また、両部門に共通して補助的なサービスを提供している運搬部門、修繕部門、経営管理部門を独立させて、部門ごとの原価管理を実施している。

次の<資料>に基づいて、下記の設問に示された方法によって補助部門費の配賦を行う場合、各補助部門から第 1 部門に配賦される金額の合計額をそれぞれ計算しなさい。なお、計算の過程で端数が生じた場合は、各補助部門費の配賦すべき金額の計算結果の段階で円未満を四捨五入すること。　（18 点）

<資料>

1．部門費配分表に集計された各部門費の合計金額

（単位：円）

第 1 部門	第 2 部門	運搬部門	修繕部門	経営管理部門
610,000	590,000	288,000	342,000	190,800

2．各補助部門の他部門へのサービス提供割合

（単位：%）

	第 1 部門	第 2 部門	運搬部門	修繕部門	経営管理部門
運　搬　部　門	40	50	—	10	—
修　繕　部　門	50	40	10	—	—
経営管理部門	30	30	30	10	—

問 1　直接配賦法

問 2　階梯式配賦法（ただし、配賦の順序については経営管理部門費を第 1 順位、修繕部門費を第 2 順位、運搬部門費を第 3 順位とする）

問 3　連立方程式を使用した相互配賦法

解答&解説

問1　直接配賦法　¥ 413400

問2　階梯式配賦法　¥ 407268

問3　相互配賦法－連立方程式法　¥ 411120

（単位：円）

問1　直接配賦法

部門費振替表

摘　要	合　計	施工部門		補助部門		
		第1部門	第2部門	運搬部門	修繕部門	経営管理部門
部門費合計	2,020,800	610,000	590,000	288,000	342,000	190,800
運搬部門費	288,000	128,000	160,000			
修繕部門費	342,000	190,000	152,000			
経営管理部門費	190,800	95,400	95,400			
補助部門費配賦額	820,800	413,400	407,400			
合　計	2,020,800	1,023,400	997,400			

・第1部門への配賦額計算

・運搬部門費 $=288,000\times\frac{40\%}{40\%+50\%}=128,000$

・修繕部門費 $=342,000\times\frac{50\%}{50\%+40\%}=190,000$

・経営管理部門費 $=190,800\times\frac{30\%}{30\%+30\%}=95,400$　　合計：413,400

問２　階梯式配賦法

（配賦の順序：経営管理部門費を第１順位，修繕部門費を第２順位，運搬部門費を第３順位）

部門費振替表

摘　要	合　計	施工部門		補助部門		
		第１部門	第２部門	運搬部門	修繕部門	経営管理部門
部門費合計	2,020,800	610,000	590,000	288,000	342,000	190,800
経営管理部門費	—	57,240	57,240	57,240	19,080	190,800
修繕部門費	—	180,540	144,432	36,108	361,080	
運搬部門費	—	169,488	211,860	381,348		
補助部門費配賦額	820,800	407,268	413,532			
合　計	2,020,800	1,017,268	1,003,532			

・第１部門への配賦額計算

・経営管理部門費 $= 190,800 \times \dfrac{30\%}{30\% + 30\% + 30\% + 10\%} = 57,240$

・修繕部門費 $=$ $(342,000 + 19,080) \times \dfrac{50\%}{50\% + 40\% + 10\%} = 180,540$

・運搬部門費 $=$ $(288,000 + 57,240 + 36,108) \times \dfrac{40\%}{40\% + 50\%} = 169,488$　　合計：407,268

問３　相互配賦法—連立方程式法

まず，各補助部門に配賦すべき金額を，それぞれ以下のように設定すると，以下のような部門費振替表が作成できる。

運搬部門の配賦すべき金額…X
修繕部門の配賦すべき金額…Y
経営管理部門の配賦すべき金額…Z

部門費振替表

摘　要	合　計	施工部門		補助部門		
		第１部門	第２部門	運搬部門	修繕部門	経営管理部門
部門費合計	2,020,800	610,000	590,000	288,000	342,000	190,800
運搬部門費		0.4X	0.5X	—	0.1X	—
修繕部門費		0.5Y	0.4Y	0.1Y	—	—
経営管理部門費		0.3Z	0.3Z	0.3Z	0.1Z	—
補助部門費配賦額				X	Y	Z
合　計						

上記の部門費振替表から，補助部門の関係性より，以下の連立方程式が導きだせる。

$$\begin{cases} \text{運搬部門：} X = 288,000 + 0.1Y + 0.3Z \cdots ① \\ \text{修繕部門：} Y = 342,000 + 0.1X + 0.1Z \cdots ② \\ \text{経営管理部門：} Z = 190,800 \cdots ③ \end{cases}$$

①と②の算式に，Zを代入すると以下のようになる。

$$\begin{cases} X = 288,000 + 0.1Y + 0.3 \times 190,800 = 345,240 + 0.1Y \cdots ④ \\ Y = 342,000 + 0.1X + 0.1 \times 190,800 = 361,080 + 0.1X \cdots ⑤ \end{cases}$$

④の算式に，⑤を代入すると以下のようになる。

$$X = 345,240 + 0.1 \times (361,080 + 0.1X) = 345,240 + 36,108 + 0.01X$$

$$0.99X = 381,348$$

$$X = 385,200$$

$X = 385,200$を，⑤の算式に代入すれば，以下のようになる。

$$Y = 361,080 + 0.1 \times 385,200 = 399,600$$

これらのことから，各補助部門に配賦すべき金額が算出できた。

$$X = 385,200,\quad Y = 399,600,\quad Z = 190,800$$

よって，上記の部門費振替表から，補助部門から第1部門へ配賦すべき金額は，以下のように算出することができる。

$$0.4X + 0.5Y + 0.3Z = (0.4 \times 385,200) + (0.5 \times 399,600) + (0.3 \times 190,800) = 411,120$$

ちなみに，これらの結果から，部門費振替表を作成すると，次のような表になる。

部門費振替表

摘　要	合　計	施工部門		補助部門		
		第1部門	第2部門	運搬部門	修繕部門	経営管理部門
部門費合計	2,020,800	610,000	590,000	288,000	342,000	190,800
運搬部門費	—	154,080	192,600	△385,200	38,520	—
修繕部門費	—	199,800	159,840	39,960	△399,600	—
経営管理部門費	—	57,240	57,240	57,240	19,080	△190,800
補助部門費配賦額	820,800	411,120	409,680	0	0	0
合　計	2,020,800	1,021,120	999,680			

問題

〔第4問〕 当社では現在（当月初時点）、次の２つの代替案のどちらを採用するほうが有利であるかを検討している。次の<資料>に基づいて、下記の設問に答えなさい。（18点）

代替案１　当月、Ａ部品を500個製造し、Ｂ部品を250個製造する案
代替案２　当月、Ａ部品を750個製造し、Ｂ部品をまったく製造しない案

<資料>

1．一定の月間生産能力を利用して、建設資材であるＡ部品とＢ部品を製造販売している。Ａ部品だけを製造すれば750個製造でき、Ｂ部品だけを製造しても750個製造できる。
2．Ａ部品を製造する場合とＢ部品を製造する場合で、使用する材料がただ１品目だけ異なる。その他の製造条件はすべてＡ部品製造とＢ部品製造でまったく同じとする。そのＡ部品とＢ部品で異なる材料であるが、Ａ部品を製造するのに固有の材料ａ、Ｂ部品を製造するのに固有の材料ｂがそれぞれ必要である。
3．２つの代替案のどちらを採用しても、製造した部品は全量が販売可能であるものとする。
4．下記の問１から問３では、Ａ部品、Ｂ部品はともに１個当たり5,000円で販売できるものとする。

問１　当月初にＡ部品製造の材料ａとＢ部品製造の材料ｂのどちらも保有在庫が無いため、それらの材料を必要量だけ新たに購入したうえで、製造を行うものとする。Ａ部品１個当たりの材料ａの購入費が1,900円、Ｂ部品１個当たりの材料ｂの購入費が2,050円であると予想される。この場合、代替案１、代替案２のどちらが有利であるかを、当月の代替案間の差額原価とともに示しなさい。

問２　当月初にＡ部品を220個製造できる材料ａの保有在庫とＢ部品を180個製造できる材料ｂの保有在庫があるものとする。必要量だけ購入する材料の原価に関する情報は問１と同じであるとする。Ａ部品、Ｂ部品を１個製造するのに必要な保有材料の帳簿上の払出額は材料ａが1,970円、材料ｂが1,950円である。この場合、代替案１、代替案２のどちらが有利であるかを、当月の代替案間の差額原価とともに示しなさい。

問３　当月初にＡ部品を220個製造できる材料ａの保有在庫とＢ部品を180個製造できる材料ｂの保有在庫があるが、当社は、当月末時点で最低でもＡ部品160個製造分の材料ａ、Ｂ部品90個製造分の材料ｂを保有するという方針をとっているものとする。必要量だけ購入する材料の原価に関する情報は問１、問２と同じである。当月末時点の材料を最低量に抑えた場合、代替案１、代替案２のどちらが有利であるかを、当月の代替案間の差額原価とともに示しなさい。

問４　<資料>の４.を変更し、代替案１、代替案２のどちらを採用したとしても、Ａ部品は１個当たり5,300円で、Ｂ部品は１個当たり4,500円で外部に販売できるものとする。必要量だけ購入する材料の原価に関する情報は問１、問２、問３と、材料在庫量に関する情報は問３と同じであるとする。代替案１、代替案２のどちらが有利であるかを、当月の代替案間の差額利益とともに示しなさい。

解答＆解説

問１	当月の差額原価	37500 円	代替案	2	（１または２）
問２	当月の差額原価	331500 円	代替案	1	（　同　上　）
問３	当月の差額原価	147000 円	代替案	1	（　同　上　）
問４	当月の差額利益	53000 円	代替案	2	（　同　上　）

問１

各代替案ともに750個を製造販売し，なおかつＡ部品，Ｂ部品はともに１個当たり5,000円で販売できるので，売上高は無関連収益となる。よって，問題の指示どおり，材料の必要量の原価比較をすれば良い。なお，差額原価は，少ない方が有利である（問１～問３）。

・代替案１：@1,900円×500個＋@2,050円×250個＝1,462,500円
・代替案２：@1,900円×750個＝1,425,000円
・差額原価：1,462,500円－1,425,000円＝37,500円（代替案２の方が有利）

問２

すでに保有している材料の原価は，過去原価であり，無関連原価となることに注意する。

・代替案１：@1,900円×（500個－220個）＋@2,050×（250個－180個）＝675,500円
・代替案２：@1,900円×（750個－220個）＝1,007,000円
・差額原価：1,007,000円－675,500円＝331,500円（代替案１の方が有利）

問3

問2の算式に，月末時点の最低在庫数量を加算して，計算すれば良い。

・代替案1：@1,900円×（500個－220個＋160個[※在庫]）＋@2,050×（250個－180個＋90個[※在庫]）＝1,164,000円

・代替案2：@1,900円×（750個－220個＋160個[※在庫]）＝1,311,000円

・差額原価：1,311,000円－1,164,000円＝147,000円（代替案1の方が有利）

問4

差額利益は，多い方が有利である。

	代替案1	代替案2	
①売上高	3,775,000円	3,975,000円	
②原　価（問3）	1,164,000円	1,311,000円	差額利益
③利　益（①－②）	2,611,000円	2,664,000円	53,000円

代替案2の方が有利

・代替案1の売上高：@5,300円×500個＋@4,500円×250個＝3,775,000円

・代替案2の売上高：@5,300円×750個＝3,975,000円

問題

〔第5問〕　下記の<資料>は、X建設工業株式会社（当会計期間：20×1年4月1日～20×2年3月31日）における20×1年10月の工事原価計算関係資料である。次の設問に解答しなさい。月次で発生する原価差異は、そのまま翌月に繰り越す処理をしている。なお、計算の過程で端数が生じた場合は、計算途中では四捨五入せず、最終数値の円未満を四捨五入すること。（34点）

問1　当月の完成工事原価報告書を作成しなさい。ただし、収益の認識は工事完成基準を採用すること。

問2　当月末における未成工事支出金の勘定残高を計算しなさい。

問3　次の配賦差異について、当月末の勘定残高を計算しなさい。なお、それらの差異については、借方残高の場合は「A」、貸方残高の場合は「B」を解答用紙の所定の欄に記入すること。
①　運搬車両部門費予算差異　　②　運搬車両部門費操業度差異

<資料>

1．当月の工事の状況

工事番号	着工	竣工
032	20×1年 3月	20×1年10月
053	20×1年 5月	20×1年10月
101	20×1年10月	（未完成）
102	20×1年10月	20×1年10月

2．月初における前月繰越金額

(1)　月初未成工事原価の内訳　（単位：円）

工事番号	材料費	労務費	外注費	経費（人件費）	合計
032	192,000	111,800	177,500	53,500（38,600）	534,800
053	76,200	43,800	64,300	29,000（16,900）	213,300

（注）　（　）の数値は、当該費目の内書の金額である。

(2)　配賦差異の残高

運搬車両部門費予算差異　¥1,500（借方残高）　　運搬車両部門費操業度差異　¥1,200（貸方残高）

3．当月の材料費に関する資料

(1)　甲材料は常備材料で、材料元帳を作成して実際消費額を計算している。消費単価の計算については先入先出法を採用している。当月の受払いに関する資料は次のとおりである。

日　付	摘　要	数量（個）	単価（円）
10月1日	前月繰越	50	10,000（先に購入）
		30	12,000（後から購入）
5日	購入	100	14,000
8日	053工事へ払出し	70	
15日	101工事へ払出し	80	
18日	購入	50	15,000
20日	戻り	10	
25日	102工事へ払出し	60	

（注1）20日の戻りは15日出庫分である。戻りは出庫の取り消しとして処理する。

（注2）棚卸減耗は発生しなかった。

(2)　乙材料は仮設工事用の資材で、工事原価への算入はすくい出し法により処理している。当月の工事別関係資料は次のとおりである。

（単位：円）

工事番号	０３２	０５３	１０１	１０２
当月仮設資材投入額	43,700	（注）	39,700	42,900
仮設工事完了時評価額	14,600	10,600	（仮設工事未了）	29,100

（注）０５３工事の仮設工事は前月までに完了し、その資材投入額は前月末の未成工事支出金に含まれている。

４．当月の労務費に関する資料

当社では、Ｌ作業について常雇作業員による専門工事を実施している。工事原価の計算には予定賃率（１時間当たり¥2,600）を使用している。10月の実際作業時間は次のとおりである。

（単位：時間）

工事番号	０３２	０５３	１０１	１０２	合計
Ｌ作業時間	13	25	42	16	96

５．当月の外注費に関する資料

当社の外注工事には、資材購入や重機械の提供を含むもの（一般外注）と労務提供を主体とするもの（労務外注）がある。工事別の当月実際発生額は次のとおりである。

（単位：円）

工事番号	０３２	０５３	１０１	１０２	合計
一般外注	76,600	108,500	279,000	92,000	556,100
労務外注	166,200	228,800	289,500	179,900	864,400

（注）労務外注費は、月次の完成工事原価報告書の作成に当たっては、そのまま外注費として計上する。

６．当月の経費に関する資料

⑴　直接経費の内訳は次のとおりである。

（単位：円）

工事番号	０３２	０５３	１０１	１０２	合計
従業員給料手当	66,700	109,700	107,200	49,000	332,600
労務管理費	48,900	85,400	87,000	40,100	261,400
法定福利費	7,100	13,300	17,200	6,770	44,370
福利厚生費	7,400	21,000	31,700	9,170	69,270
雑費他	22,100	30,200	42,500	21,100	115,900
計	152,200	259,600	285,600	126,140	823,540

（注）経費に含まれる人件費の計算において、退職金および退職給付引当金繰入額は考慮しない。

⑵　役員であるＱ氏は一般管理業務に携わるとともに、施工管理技術者の資格で現場管理業務も兼務している。役員報酬のうち、担当した当該業務に係る分は、従事時間数により工事原価に算入している。また、工事原価と一般管理費の業務との間には等価係数を設定している。関係資料は次のとおりである。

(a)　Ｑ氏の当月役員報酬額　¥716,800

(b)　施工管理業務の従事時間

（単位：時間）

工事番号	０３２	０５３	１０１	１０２	合計
従事時間	20	30	40	30	120

(c)　役員としての一般管理業務は80時間であった。

(d)　業務間の等価係数（業務１時間当たり）は次のとおりである。

施工管理　1.2　　一般管理　1.0

⑶　当社の常雇作業員によるＬ作業に関係する経費を運搬車両部門費として、次の(a)の変動予算方式で計算する予定配賦率によって工事原価に算入している。関係資料は次のとおりである。

(a)　当会計期間について設定された変動予算の基準数値

基準運転時間　Ｌ労務作業　年間　1,200時間

変動費率（１時間当たり）　¥400　　　固定費（年額）　¥1,080,000

(b) 当月の運搬車両部門費の実際発生額は¥135,500であった。
(c) 月次で許容される予算額の計算
ア．固定費　月割経費とする。固定費から予算差異は生じていない。
イ．変動費　実際時間に基づく予算額を計算する。
(d) 運搬車両部門費はすべて人件費を含まない経費である。

解答&解説

問1

完成工事原価報告書

自　20×1年10月1日
至　20×1年10月31日

X建設工業株式会社

（単位：円）

Ⅰ．材料費		1900500
Ⅱ．労務費		296000
Ⅲ．外注費		1093800
Ⅳ．経　費		997840
（うち人件費	652840）	
完成工事原価		4288140

問2

¥ 2171200

問3

① 運搬車両部門費予算差異　¥ 8600　記号（AまたはB） A

② 運搬車両部門費操業度差異　¥ 2400　記号（ 同　上 ） A

(単位：円)

問 1

原価計算表

	032工事		053工事		101工事	102工事	合　計
	前月繰越	当月発生	前月繰越	当月発生	当月発生	当月発生	
Ⅰ．材料費							
前月繰越	192,000	—	76,200	—	—	—	268,200
甲材料費	—	0	—	740,000	960,000	860,000	2,560,000
乙材料費	—	29,100	—	△ 10,600	39,700	13,800	72,000
〔材料費合計〕	〔192,000〕	〔29,100〕	〔76,200〕	〔729,400〕	〔999,700〕	〔873,800〕	〔2,900,200〕
Ⅱ．労務費							
前月繰越	111,800	—	43,800	—	—	—	155,600
労務費	—	33,800	—	65,000	109,200	41,600	249,600
〔労務費合計〕	〔111,800〕	〔33,800〕	〔43,800〕	〔65,000〕	〔109,200〕	〔41,600〕	〔405,200〕
Ⅲ．外注費							
前月繰越	177,500	—	64,300	—	—	—	241,800
一般外注費	—	76,600	—	108,500	279,000	92,000	556,100
労務外注費	—	166,200	—	228,800	289,500	179,900	864,400
〔外注費合計〕	〔177,500〕	〔242,800〕	〔64,300〕	〔337,300〕	〔568,500〕	〔271,900〕	〔1,662,300〕
Ⅳ．経費							
前月繰越	53,500	—	29,000	—	—	—	82,500
直接経費合計	—	152,200	—	259,600	285,600	126,140	823,540
Q 氏役員報酬	—	76,800	—	115,200	153,600	115,200	460,800
運搬車両部門費	—	16,900	—	32,500	54,600	20,800	124,800
〔経費合計〕	〔53,500〕	〔245,900〕	〔29,000〕	〔407,300〕	〔493,800〕	〔262,140〕	〔1,491,640〕
当月完成工事原価	534,800	551,600	213,300	1,539,000		1,449,440	4,288,140
当月末未成工事原価					2,171,200		2,171,200

(1) 甲材料費

材料元帳

〈先入先出法〉

月	日	摘　要	受入 数量(個)	受入 単価(円)	受入 金額(円)	払出 数量(個)	払出 単価(円)	払出 金額(円)	残高 数量(個)	残高 単価(円)	残高 金額(円)
10	1	前月繰越	50 30	10,000 12,000	500,000 360,000				50 30	10,000 12,000	500,000 360,000
	5	購　入	100	14,000	1,400,000				50 30 100	10,000 12,000 14,000	500,000 360,000 1,400,000
	8	053工事で消費				50 20	10,000 12,000	500,000 240,000	10 100	12,000 14,000	120,000 1,400,000
	15	101工事で消費				10 70	12,000 14,000	120,000 980,000	30	14,000	420,000
	18	購　入	50	15,000	750,000				30 50	14,000 15,000	420,000 750,000
	20	101工事の戻り				△10	14,000	△140,000	40 50	14,000 15,000	560,000 750,000
	25	102工事で消費				40 20	14,000 15,000	560,000 300,000	30	15,000	450,000
	31	次月繰越				30	15,000	450,000			
			230	−	3,010,000	230	−	3,010,000			

・053工事（8日）：500,000＋240,000＝740,000

・101工事（15日，20日）：120,000＋980,000－140,000＝960,000

・102工事（25日）：560,000＋300,000＝860,000　　合計：2,560,000

(2) 乙材料費（すくい出し法）

・032工事：43,700－14,600＝29,100

・053工事：△10,600

・101工事：39,700

・102工事：42,900－29,100＝13,800　　合計：72,000

(3) 労務費

・032工事：@2,600×13時間＝33,800

・053工事：@2,600×25時間＝65,000

・101工事：@2, 600×42時間＝109, 200

・102工事：@2, 600×16時間＝41, 600　　合計：249, 600

(4)　Q氏役員報酬

・工事原価$=716,800\times\frac{120\text{時間}\times1.2}{120\text{時間}\times1.2+80\text{時間}\times1.0}=460,800$

・配賦率＝460, 800÷120時間＝@3, 840

・032工事：@3, 840×20時間＝76, 800

・053工事：@3, 840×30時間＝115, 200

・101工事：@3, 840×40時間＝153, 600

・102工事：@3, 840×30時間＝115, 200　　合計：460, 800

(5)　運搬車両部門費

・固定費率＝1, 080, 000÷1, 200時間＝@900

・配賦率＝変動費率＋固定費率＝@400＋@900＝@1, 300

・032工事：@1, 300×13時間＝16, 900

・053工事：@1, 300×25時間＝32, 500

・101工事：@1, 300×42時間＝54, 600

・102工事：@1, 300×16時間＝20, 800　　合計：124, 800

(6)　完成工事原価報告書の作成

前記の「原価計算表」の完成工事（032工事，053工事および102工事）について，各費目合計等を集計すると以下のようになり，解答である完成工事原価報告書が完成できる。なお，うち書き「人件費」については，個別に集計する必要がある。

	032工事		053工事		102工事	合　計
	前月繰越	当月発生	前月繰越	当月発生	当月発生	
材料費	192,000	29,100	76,200	729,400	873,800	1,900,500
労務費	111,800	33,800	43,800	65,000	41,600	296,000
外注費	177,500	242,800	64,300	337,300	271,900	1,093,800
経　費	53,500	245,900	29,000	407,300	262,140	997,840
完成工事原価						4,288,140
前月繰越	38,600	—	16,900	—	—	55,500
従業員給料手当	—	66,700	—	109,700	49,000	225,400
法定福利費	—	7,100	—	13,300	6,770	27,170
福利厚生費	—	7,400	—	21,000	9,170	37,570
Q氏役員報酬	—	76,800	—	115,200	115,200	307,200
人件費						652,840

問2

当月末における未成工事支出金の勘定残高は，未完成工事原価を意味しているので，前記の「原価計算表」の当月末未成工事原価の合計金額（¥2,171,200）が正解となる。

問3

① 運搬車両部門費予算差異

・当月の予算差異＝（固定費予算額＋変動費）－実際発生額

＝（1,080,000÷12月＋@400×96時間）－135,500＝△7,100（借方差異）

・予算差異の月末残高＝前月繰越1,500借方残高＋当月差異7,100借方差異

＝8,600（借方残高：A）

② 運搬車両部門費操業度差異

・当月の操業度差異＝固定費率×（実際作業時間－基準作業時間）

＝@900×｛96時間－（1,200時間÷12月）｝＝△3,600（借方差異）

・操業度差異の月末残高＝当月差異3,600借方差異－前月繰越1,200貸方残高

＝2,400（借方残高：A）

【図解】運搬車両部門費差異（変動予算）

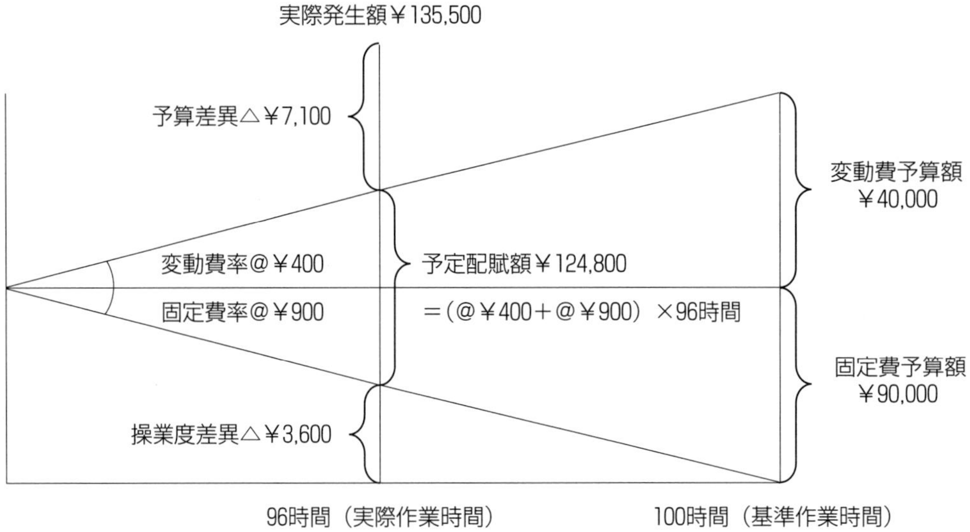

問題

〔第１問〕　次の問に解答しなさい。各問ともに指定した字数以内で記入すること。（20点）

問１　財務諸表作成目的のために実施される実際原価計算制度の３つの計算ステップについて説明しなさい。（250字）

問２　標準原価の種類を改訂頻度の観点から説明しなさい。（250字）

解答＆解説

問１

財務諸表作成目的の原価計算は「勘定間の振替のための原価計算」であり、３つの計算ステップ（①費目別原価計算、②部門別原価計算、③工事別原価計算）に従って実施される。①第１次計算段階の「費目別原価計算」とは、一定期間における原価要素を費目別に分類測定する手続をいう。②第２次計算段階の「部門別原価計算」とは、費目別原価計算において把握された原価要素を、原価部門別に分類集計する手続をいう。③第３次計算段階の「工事別原価計算」とは、原価要素を一定の工事単位に集計し、単位たる工事別原価を算定する手続をいう。

問2

改訂頻度の観点による標準原価には、状況や環境の変化に応じて改訂していく①当座標準原価と、ひとたび設定してからは、これを指数的に固定化して使用していく②基準標準原価がある。①当座標準原価は、作業条件の変化や価格要素の変動を考慮して、毎期その改訂を検討していく標準原価である。これは原価管理目的ばかりでなく、棚卸資産評価や売上原価算定のためにも利用し得るものである。②基準標準原価は、経営の基本構造に変化のない限り改訂しない標準原価である。これは一定水準とのすう勢的な比較を目的として設定される。

問1　工事原価計算の基本ステップ

原価計算基準は，原価計算の目的として，次の5つを列挙している。

(1)　財務諸表作成目的

(2)　価格計算目的

(3)　原価管理目的

(4)　予算管理目的

(5)　基本計画設定目的

上記(1)の財務諸表作成目的における原価計算は，最終的には，損益計算書に記載される売上原価と，貸借対照表に記載される仕掛品，製品等の棚卸資産価額を決定するための基礎資料を提供するものである。言い換えれば，期間損益の算定と直接的に関連する原価計算であるといえる。実務上は，複式簿記と有機的に結合しており，「勘定間の振替のための原価計算」といってもよい。

財務諸表作成目的のために実施される実際原価計算制度は，物やサービスの流れと関係づけられて，逐次的に発生する原価の流れを，組織的，継続的に追跡する手続によって展開される。実際工事原価を把握していく手続は，原則として，次の3つの計算ステップに従って実施される。

①費目別原価計算　→　②部門別原価計算　→　③工事別原価計算

①費目別原価計算とは，一定期間における原価要素を費目別に分類測定する手続をいい，財務会計における費用計算であると同時に，原価計算における第1次の計算段階である。

②部門別原価計算とは，費目別原価計算において把握された原価要素を，原価部門別に分類集計する手続をいい，原価計算における第2次の計算段階である。

③工事別原価計算とは，原価要素を一定の工事単位に集計し，単位たる工事別原価を算定する手続をいい，原価計算における第3次の計算段階である。

問2　標準原価の種類

標準原価計算において採用される標準原価は，以下のように，いくつかの観点から類別される。

⑴　標準原価の対象範囲によって

標準原価計算は，一般的には，製造原価（建設業の工事原価）のすべてをその計算対象として実施される。従って，標準原価には，変動製造費も固定製造費も含まれるから，これを標準全部原価，その計算を標準全部原価計算と呼んでいる。これに対して，変動製造費のみをプロダクト・コスト化する原価計算を直接原価計算といっているが，この変動製造費だけに標準原価を設定すれば，それは標準直接原価計算ということになる。

標準原価計算は，元来，変動費のコントロールに適しているので，後者の方法も軽視することはできない。

⑵　標準原価の改訂頻度によって

標準原価には，状況や環境の変化に応じて改訂していく場合と，ひとたび設定してからは，これを指数的に固定化して使用していく場合とがある。前者を「①当座標準原価」，後者を「②基準標準原価」という。

「①当座標準原価」は，作業条件の変化や価格要素の変動を考慮して，毎期その改訂を検討していく標準原価である。これは原価管理目的ばかりでなく，棚卸資産評価や売上原価算定のためにも利用し得るもので，「原価計算基準」の立場である。

「②基準標準原価」は，経営の基本構造に変化のない限り改訂しないものであるから，一定水準とのすう勢的な比較を目的としたものである。

⑶　標準原価の厳格度によって

標準原価計算を理解する上に，また企業内でシステム化していく上で，最も重要な類別は，標準原価をどれほどに厳しいものと考えていくかの観点である。

厳格度をよくタイトネスともいっている。

原価計算基準では，標準原価のタイトネスを基礎に，次の3つに分類している。

Ａ．理想標準原価

技術的に達成可能な最大操業度のもとにおいて，最高能率を表わす最低の原価をいう。

Ｂ．現実的標準原価

良好な能率のもとにおいて，その達成が期待され得る標準原価をいう。

Ｃ．正常標準原価

経営における異常な状態を排除し，経営活動に関する比較的長期にわたる過去の実際数値を統計的に平準化し，これに将来のすう勢を加味した正常能率，正常操業度および正常価格に基づいて決定される原価をいう。

問題

〔第2問〕 次の文章の [　　] の中に入るべき最も適切な用語を下記の<用語群>の中から選び、その記号（ア～タ）を解答用紙の所定の欄に記入しなさい。（10点）

(1) 補助部門の [1] とは、補助経営部門が相当の規模になった場合に、これを独立した経営単位とし、部門別計算上、施工部門として扱うことと解釈される。

(2) 間接費の配賦に際して、数年という景気の1循環期間にわたってキャパシティ・コストを平均的に吸収させようとする考えで選択された操業水準を [2] という。

(3) 経費のうち、従業員給料手当、退職金、 [3] および福利厚生費を人件費という。

(4) 個別原価計算における間接費は、原則として、 [4] 率をもって各指図書に配賦する。

(5) 補助部門費の施工部門への配賦方法のうち、補助部門間のサービスの授受を計算上すべて無視して配賦計算を行う方法を [5] という。

<用語群>

ア　実際配賦	イ　相互配賦法	ウ　変動予算	エ　実現可能最大操業度
オ　長期正常操業度	カ　実行予算	キ　施工部門化	ク　予定配賦
コ　変動予算	サ　法定福利費	シ　階梯式配賦法	ス　労務管理費
セ　社内センター化	ソ　直接配賦法	タ　次期予定操業度	

解答&解説

記号（ア～タ）

1	2	3	4	5
キ	オ	サ	ク	ソ

(1) [1] は，「施工部門として扱う」という記述により，「施工部門化（キ）」だと分かる。

(2) [2] は，「数年という景気の1循環期間」という記述により「長期正常操業度（オ）」である。

(3) [3] は，「経費のうち人件費」の内容を求められているので，「法定福利費（サ）」を選択する。

(4) 個別原価計算では，特定指図書番号別（建設業でいう工事番号別）の原価集計を行うので，ある番号の作業が終了すれば，即座に特定個別原価の集計を完了したい。しかし，実際配賦法では，期間での実際工事間接費額が確定しなければ，配賦作業を実施し得ないから実践的でなく，工事間接費の配賦がほとんど重要性をもたない場合を除き，予定配賦あるいは正常配賦が行われている。このことから，[4]は，実際配賦ではなく，「予定配賦（ク）」が正解である。

(5) [5]は，「補助部門間のサービスの授受を計算上すべて無視して配賦計算を行う方法」という記述により「直接配賦法（ソ）」が入る。

問題

〔第3問〕 当社の大型クレーンに関する損料計算用の<資料>は次のとおりである。下の設問に解答しなさい。なお、計算の過程で端数が生じた場合は、計算途中では四捨五入せず、最終数値の円未満を四捨五入すること。（14点）

<資料>

1．大型クレーンは本年度期首において￥32,000,000（基礎価格）で購入したものである。
2．耐用年数8年、償却費率90％、減価償却方法は定額法を採用する。
3．大型クレーンの標準使用度合は次のとおりである。
　年間運転時間　1,000時間　　年間供用日数　200日
4．年間の管理費予算は、基礎価格の7％である。
5．修繕費予算は、定期修繕と故障修繕があるため、次のように設定する。損料計算における修繕費率は、各年平均化するものとして計算する。
　修繕費予算1～3年度　各年度　￥2,100,000
　　　　　　4～8年度　各年度　￥2,500,000
6．初年度3月次における大型クレーンの現場別使用実績は次のとおりである。

	供用日数	運転時間
M現場	4日	15時間
N現場	12日	58時間
その他の現場	3日	14時間

7．初年度3月次の実績額は次のとおりである。
　管理費　￥210,500　　修繕費　￥402,500　　減価償却費は月割経費である。

問1　大型クレーンの運転1時間当たり損料額と供用1日当たり損料額を計算しなさい。ただし、減価償却費については、両損料額の算定にあたって年当たり減価償却費の半額ずつをそれぞれ組み入れている。

問2　問1の損料額を予定配賦率として利用し、M現場とN現場への配賦額を計算しなさい。

問3　初年度3月次における大型クレーンの損料差異を計算しなさい。なお、有利差異の場合は「A」、不利差異の場合は「B」を解答用紙の所定の欄に記入すること。

解答&解説

問1

運転1時間当たり損料額	¥	4150
供用1日当たり損料額	¥	20200

問2

M現場への配賦額	¥	143050
N現場への配賦額	¥	483100

問3

¥ 168150　記号（AまたはB） B

問1　社内機械損料

機械の場合には，仮設材料と異なり，その原価要素を変動費（アクティビティ・コスト）と固定費（キャパシティ・コスト）とに区分し，これに従って，変動費負担的な性格をもった使用率として「運転1時間当たり損料」を，固定費回収的な性格をもった使用率として「供用1日当たり損料」を求める。なお，損料計算の対象となる機械経費の固定費・変動費の区分は次のとおりである。

機械経費	1．修繕費		変動費（運転1時間当たり損料）
	2．減価償却費	減価償却費×1/2	
		減価償却費×1/2	固定費（供用1日当たり損料）
	3．管理費		

①　修繕費率＝全期間修繕費予算額÷基礎価格

$$= (@¥2,100,000 \times 3年 + @¥2,500,000 \times 5年) \div ¥32,000,000 = 0.5875$$

②　運転1時間当たり損料額＝基礎価格$\times \dfrac{償却費率 \times 1/2 + ①修繕費率}{耐用年数} \times \dfrac{1}{年間標準運転時間}$

$$= ¥32,000,000 \times \frac{90\% \times 1/2 + 0.5875}{8年} \times \frac{1}{1,000時間} = @¥4,150$$

③　供用１日当たり損料額＝基礎価格×$\left(\frac{\text{償却費率}\times 1/2}{\text{耐用年数}}+\text{年間管理費率}\right)\times\frac{1}{\text{年間標準供用日数}}$

$$=¥32,000,000\times\left(\frac{90\%\times 1/2}{8\text{年}}+7\%\right)\times\frac{1}{200\text{日}}=@¥20,200$$

問２　予定配賦額の計算

M現場：供用１日当たり損料額×供用日数＝@¥20,200×４日＝¥80,800

運転１時間当たり損料額×運転時間＝@¥4,150×15時間＝¥62,250

合計：¥143,050

N現場：供用１日当たり損料額×供用日数＝@¥20,200×12日＝¥242,400

運転１時間当たり損料額×運転時間＝@¥4,150×58時間＝¥240,700

合計：¥483,100

問３　損料差異

①　予定配賦額＝{@¥20,200×（４日＋12日＋３日）＋@¥4,150×（15時間＋58時間＋14時間）}

＝¥383,800＋¥361,050＝¥744,850

②　月額減価償却費＝（¥32,000,000×90％）÷８年×1/12＝¥300,000

③　実際発生額＝管理費＋修繕費＋②月額減価償却費

＝¥210,500＋¥402,500＋¥300,000＝¥913,000

④　損料差異＝①予定配賦額－③実際発生額

＝¥744,850－¥913,000＝△¥168,150（不利差異）

問題

〔第4問〕 当社では、新製品である製品Nを新たに生産・販売する案（N投資案）を検討している。製品Nの製品寿命は5年であり、各年度の生産量と販売量は等しいとする。次の<資料>に基づいて、下の設問に答えなさい。なお、すべての設問について税金の影響を考慮すること。また、製品Nの各年度にかかわるキャッシュ・フローは、特に指示がなければ各年度末にまとめて発生するものとする。 (20点)

<資料>

1．製品Nに関する各年度の損益計算

（単位：千円）

	製品N
売上高	4,000,000
変動売上原価	1,800,000
変動販売費	275,000
貢献利益	1,925,000
固定製造原価	1,250,000
固定販売費及び一般管理費	150,000
営業利益	525,000

2．設備投資に関する資料

製品Nを生産する場合は設備Nを購入し使用する。設備Nの購入原価は5,000,000千円である。設備Nの減価償却費の計算は、耐用年数5年、5年後の残存価額ゼロの定額法で行われる。設備Nの耐用年数経過後の見積処分価額はゼロである。なお、法人税の計算では、減価償却費はすべて各年度の損金に算入される。

3．その他の計算条件

⑴ 設備投資により、現金売上、現金支出費用、減価償却費が発生する。

⑵ 今後5年間にわたり黒字が継続すると見込まれる。実効税率は30％である。

⑶ 加重平均資本コスト率は10％である。計算に際しては、次の現価係数を使用すること。

1年	2年	3年	4年	5年	合計
0.9091	0.8264	0.7513	0.6830	0.6209	3.7907

⑷ 解答に際して端数が生じるときは、最終の解答数値の段階で、金額については千円未満を切り捨て、年数については年表示で小数点第2位を四捨五入し、比率（%）については%表示で小数点第1位を四捨五入すること。

問1 N投資案の1年間の差額キャッシュ・フローを計算しなさい。ただし、貨幣の時間価値を考慮する必要はない。

問2 貨幣の時間価値を考慮しない回収期間法によって、N投資案の回収期間を計算しなさい。ただし、各年度の経済的効果が年間を通じて平均的に発生すると仮定すること。

問3 平均投資額を分母とする単純投資利益率法（会計的利益率法）によって、N投資案の投資利益率を計算しなさい。

問4 正味現在価値法によって、N投資案の正味現在価値を計算しなさい。

問5 問2において、貨幣の時間価値を考慮する場合、N投資案の割引回収期間を計算しなさい。

解答&解説

問1

	1	3	6	7	5	0	0

千円

問2

3	7

年

問3

1	5

%

問4

		1	8	3	7	8	2

千円

問5

4	8

年

問1

会計上の純利益を計算する場合，減価償却費は期間費用として売上収入から差し引かれるが，キャッシュ・フロー計算上は，減価償却費は非現金支出費用なので，売上収入から差し引くべきではない。そこで会計上の純利益から，その期間のキャッシュ・フローを計算するには，すでに差し引いた減価償却費を加え戻さなければならない。他方，法人税は現金支出を伴うので，キャッシュ・フロー計算に含めなければならない。すなわち以下の算式②より，年々のキャッシュ・フロー金額を，会計上の純利益から求めることができる。

① 年間減価償却費＝（5,000,000千円－0千円）÷5年＝1,000,000千円

② 1年間の差額キャッシュ・フロー＝税引後利益＋減価償却費
＝営業利益×（100%－実効税率）＋①減価償却費
＝525,000千円×（100%－30%）＋1,000,000千円
＝1,367,500千円

問2

回収期間法は，投資額を，投資によって生じる年々のネット・キャッシュ・フロー（正味現金流入額，純現金流入額）で回収した場合，何年目で投資額が回収できるかを計算する方法である。

・回収期間法＝$\dfrac{\text{投資額}}{\text{投資から生ずる年間平均予想正味現金流入額}}$

＝投資額÷1年間の差額キャッシュ・フロー※問1②

＝5,000,000千円÷1,367,500千円≒3.65…年＝3.7年

問３

平均投資額を分母とする場合，分母を「投資額÷２」とすることに注意する。

・単純投資利益率法

$$= \frac{（正味現金流入額合計－投資額）÷予想貢献年数}{投資額÷2} \times 100$$

$$= \frac{（1年間の差額キャッシュ・フロー^{※問1②} \times 5年－投資額）÷予想貢献年数}{投資額÷2} \times 100$$

$$= \frac{(1,367,500千円 \times 5年 - 5,000,000千円) \div 5年}{5,000,000千円 \div 2} \times 100 = 14.7\% = 15\%$$

問４

正味現在価値は，投資によって生じる年々の正味現金流入額を割り引いた現在価値合計から，（同じく現在価値に割り引いた）投資額を差し引いて計算する。

① 年々の正味現金流入額の現在価値合計

＝年々の正味現金流入額※問1②×現価係数

＝1,367,500千円×3.7907＝5,183,782.25千円

② 正味現在価値

＝①年々の正味現金流入額の現在価値合計－投資額の現在価値合計

＝5,183,782.25千円－5,000,000千円＝183,782.25千円＝183,782千円

問５

① 投資から生ずる年間平均予想正味現金流入額

＝年々の正味現金流入額の現在価値合計※問4①÷予想貢献年数

＝5,183,782.25千円÷５年＝1,036,756.45千円

② 割引回収期間法$= \frac{投資額}{①投資から生ずる年間平均予想正味現金流入額}$

＝5,000,000千円÷1,036,756.45千円≒4.82…年＝4.8年

問題

〔第５問〕　下記の<資料>は、当社（当会計期間：20×7年４月１日～20×8年３月31日）における20×7年７月の工事原価計算関係資料である。次の設問に解答しなさい。なお、計算の過程で端数が生じた場合は、計算途中では四捨五入せず、最終数値の円未満を四捨五入すること。（36点）

問１　当会計期間の車両部門費の配賦において使用する走行距離１km当たり車両費予定配賦率（円/km）を計算しなさい。

問２　工事完成基準を採用して、当月の工事原価計算表を作成しなさい。

問３　次の原価差異の当月発生額を計算しなさい。なお、それらについて、有利差異の場合は「A」、不利差異の場合は「B」を解答用紙の所定の欄に記入すること。
①　材料副費配賦差異　　②　労務費賃率差異　　③　重機械部門費操業度差異

<資料>

１．当月の請負工事の状況

工事番号	工事着工	工事竣工
781	20×7年２月	20×7年７月
782	20×7年３月	20×7年７月
783	20×7年７月	20×7年７月
784	20×7年７月	７月末現在未成

２．月初未成工事原価の内訳

（単位：円）

工事番号	材料費	労務費	外注費（労務外注費）	経費	合計
781	102,220	55,070	94,700（22,910）	33,620	285,610
782	62,570	23,780	35,000（15,370）	20,930	142,280

（注）（　）の数値は、当該費目の内書の金額である。

３．当月の材料費に関する資料

⑴　A材料は仮設工事用の資材で、工事原価への算入はすくい出し法により処理している。当月の工事別関係資料は次のとおりである。

（単位：円）

工事番号	781	782	783	784
当月仮設資材投入額	（注）	37,680	41,390	38,200
仮設工事完了時評価額	12,600	12,660	25,470	仮設工事未了

（注）781工事の仮設工事は前月までに完了しており、その資材投入額は前月末の未成工事支出金に含まれている。

⑵　B材料は工事引当材料で、当月の工事別引当購入額は次のとおりである。当月中に残材は発生していない。

（単位：円）

工事番号	781	782	783	784	合計
引当購入額（送り状価格）	67,000	140,000	147,000	199,000	553,000

B材料の購入については、購入時に３％の材料副費を予定配賦して工事別の購入原価を決定している。当月の材料副費実際発生額は¥14,480であった。

４．当月の労務費に関する資料

当社では、専門工事のC作業について常雇従業員による工事を行っている。この労務費計算については予定平均賃率法を採用しており、当月の労務作業１時間当たり賃率は¥2,600である。当月の工事別労務作業時間は次のとおりである。なお、当月の労務費実際発生額は¥333,300であった。

（単位：時間）

工事番号	781	782	783	784	合計
労務作業時間	20	33	38	34	125

5．当月の外注費に関する資料

当社では専門工事のＤ工事とＥ工事を外注している。Ｄ工事は重機械提供を含むもの（一般外注）であり、Ｅ工事は労務提供を主体とするもの（労務外注）である。工事別当月実績発生額は次のとおりである。

（単位：円）

工事番号	７８１	７８２	７８３	７８４	合計
Ｄ工事（一般外注）	47,109	69,880	195,200	111,900	424,089
Ｅ工事（労務外注）	24,100	58,310	48,210	28,450	159,070

労務外注費について、月次の工事原価計算表においても、建設業法施行規則に従って表記することとしている。

6．当月の経費に関する資料

⑴　車両部門費の配賦については、会計期間中の正常配賦を考慮して、原則として年間を通じて車両別の同一の配賦率（車両費予定配賦率）を使用することとしている。

①　当会計期間の走行距離1km当たり車両費予定配賦率を算定するための資料

(a)　車両個別費の内訳

（単位：円）

摘要	車両Ｆ	車両Ｇ
減価償却費	125,000	139,000
修繕管理費	68,000	72,000
燃　料　費	101,000	123,000
税・保険料	35,690	44,810

(b)　車両共通費

油脂関係費　183,000円　　消耗品費　126,000円　　福利厚生費　97,300円　　雑費　66,000円

(c)　車両共通費の配賦基準と配賦基準数値

摘要	配賦基準	車両Ｆ	車両Ｇ
油脂関係費	予定走行距離（km）	680	820
消耗品費	車両重量（t）×台数	16	12
福利厚生費	運転者人員（人）	3	4
雑　　費	減価償却費（円）	個別費の車両別内訳を参照のこと	

②　当月の現場別車両使用実績（走行距離）

（単位：km）

工事番号	７８１	７８２	７８３	７８４	合計
車両Ｆ	1	11	25	20	57
車両Ｇ	5	17	23	23	68

③　車両部門費はすべて経費として処理する。

⑵　常雇従業員による専門工事のＣ作業に係る重機械部門費の配賦については、変動予算方式の予定配賦法を採用している。当月の関係資料は次のとおりである。固定費から予算差異は生じていない。

①　基準作業時間（月間）　Ｃ労務作業　130時間

②　変動予算　固定費　月額　￥56,550

変動費　作業1時間当たり　￥216

③　当月の実際発生額　￥83,220

⑶　その他の工事経費については、請負工事全体を管理する出張所において一括して把握し、これを工事規模等を勘案した次の係数によって配賦している。

①　出張所経費　当月発生額　￥98,600

②　配賦の係数

工事番号	７８１	７８２	７８３	７８４	合計
配賦係数	25	50	60	35	170

解答＆解説

問１　走行距離１km当たり車両費予定配賦率

車両Ｆ　820 円/km

車両Ｇ　760 円/km

問２

工事原価計算表

20×7年7月

(単位：円)

工事番号	781	782	783	784	合計
月初未成工事原価	273010	142280	――	――	415290
当月発生工事原価					
1．材料費					
(1)Ａ仮設資材費	0	25020	15920	38200	79140
(2)Ｂ引当材料費	69010	144200	151410	204970	569590
［材料費計］	69010	169220	167330	243170	648730
2．労務費	76100	144110	147010	116850	484070
(うち労務外注費)	24100	58310	48210	28450	159070
3．外注費	47109	69880	195200	111900	424089
4．経　費					
(1)車両部門費	4620	21940	37980	33880	98420
(2)重機械部門費	13020	21483	24738	22134	81375
(3)出張所経費配賦額	14500	29000	34800	20300	98600
［経費計］	32140	72423	97518	76314	278395
当月完成工事原価	497369	597913	607058	――	1702340
月末未成工事原価	――	――	――	548234	548234

問３

① 材料副費配賦差異　¥ 2110　記号（ＡまたはＢ） A

② 労務費賃率差異　¥ 8300　記号（ 同 上 ） B

③ 重機械部門費操業度差異　¥ 2175　記号（ 同 上 ） B

（単位：円）

問１　走行距離１㎞当たり車両費予定配賦率

車両費予定配賦率の計算

	摘　要	車両F	車両G	合　計
個別費	減価償却費	125,000円	139,000円	264,000円
	修繕管理費	68,000円	72,000円	140,000円
	燃料費	101,000円	123,000円	224,000円
	税・保険料	35,690円	44,810円	80,500円
共通費	①油脂関係費	82,960円	100,040円	183,000円
	②消耗品費	72,000円	54,000円	126,000円
	③福利厚生費	41,700円	55,600円	97,300円
	④雑費	31,250円	34,750円	66,000円
⑤合　計		557,600円	623,200円	1,180,800円
⑥予定走行距離		680㎞	820㎞	
予定配賦率（⑤÷⑥）		820円/㎞	760円/㎞	

①　油脂関係費

車両F＝183,000円×680㎞÷（680㎞＋820㎞）＝82,960円

車両G＝183,000円×820㎞÷（680㎞＋820㎞）＝100,040円

②　消耗品費

車両F＝126,000円×16÷（16＋12）＝72,000円

車両G＝126,000円×12÷（16＋12）＝54,000円

③　福利厚生費

車両F＝97,300円×３人÷（３人＋４人）＝41,700円

車両G＝97,300円×４人÷（３人＋４人）＝55,600円

④　雑費

車両F＝66,000円×125,000円÷（125,000円＋139,000円）＝31,250円

車両G＝66,000円×139,000円÷（125,000円＋139,000円）＝34,750円

問２　当月の工事原価計算表の計算

(1)　月初未成工事原価〈資料２〉

781工事：285,610円－12,600円[※資料３(1)]＝273,010円

782工事：142, 280円　　　　合計：415, 290円

⑵　A仮設資材費〈資料3⑴〉

781工事：月初未成工事原価から控除する。

782工事：37, 680円－12, 660円＝25, 020円

783工事：41, 390円－25, 470円＝15, 920円

784工事：38, 200円　　　　合計：79, 140円

⑶　B引当材料費〈資料3⑵〉

781工事：　67, 000円×103％＝　69, 010円

782工事：140, 000円×103％＝144, 200円

783工事：147, 000円×103％＝151, 410円

784工事：199, 000円×103％＝204, 970円　　　　合計：569, 590円

⑷　労務費〈資料4〉※労務外注費を含む

781工事：@2, 600円×20時間＋24, 100円＝　76, 100円

782工事：@2, 600円×33時間＋58, 310円＝144, 110円

783工事：@2, 600円×38時間＋48, 210円＝147, 010円

784工事：@2, 600円×34時間＋28, 450円＝116, 850円　　　　合計：484, 070円

⑸　車両部門費〈資料6⑴〉

・走行距離1㎞当たり車両費予定配賦率[※問1]

車両F：@820円/㎞　　車両G：@760円/㎞

781工事：@820円×1㎞＋@760円×5㎞＝　4, 620円

782工事：@820円×11㎞＋@760円×17㎞＝21, 940円

783工事：@820円×25㎞＋@760円×23㎞＝37, 980円

784工事：@820円×20㎞＋@760円×23㎞＝33, 880円　　　　合計：98, 420円

⑹　重機械部門費〈資料6⑵〉

①　固定費率＝56, 550円÷130時間＝@435円

②　予定配賦率＝①固定費率＋変動費率＝@435円＋@216円＝@651円

781工事：@651円×20時間＝13, 020円

782工事：@651円×33時間＝21, 483円

783工事：@651円×38時間＝24, 738円

784工事：@651円×34時間＝22, 134円　　　　合計：81, 375円

⑺　出張所経費配賦額〈資料6⑶〉

781工事：98, 600円×25÷170＝14, 500円

782工事：98, 600円×50÷170＝29, 000円

783工事：98, 600円×60÷170＝34, 800円

784工事：98, 600円×35÷170＝20, 300円　　　　合計：98, 600円

問３　原価差異

①　材料副費配賦差異＝予定配賦額－実際発生額

＝16, 590円－14, 480円＝＋2, 110円（有利差異）

・予定配賦額＝553, 000円×３％＝16, 590円

②　労務費賃率差異＝予定配賦額－実際発生額

＝325, 000円－333, 300円＝△8, 300円（不利差異）

・予定配賦額＝@2, 600円×125時間＝325, 000円

③　重機械部門費操業度差異＝（固定費率×実際作業時間）－固定費

＝（@435円×125時間）－56, 550円＝△2, 175円（不利差異）

【図解】重機械部門費操業度差異（変動予算）

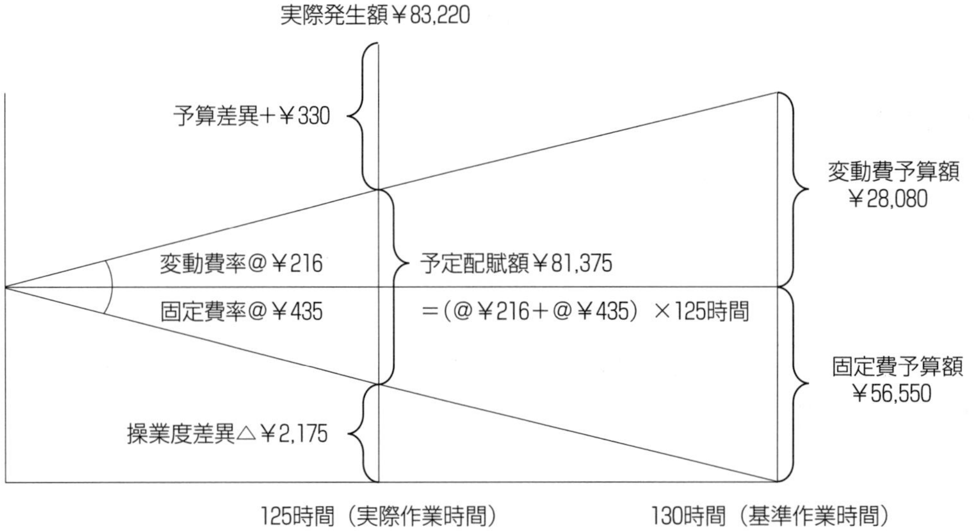

第31回

問題

〔第１問〕　次の問に解答しなさい。各問ともに指定した字数以内で記入すること。　(20点)

問１　工事レベルの実行予算の三つの機能について説明しなさい。(300字)

問２　設備投資の経済性を評価する方法の一つである内部利益率法について説明しなさい。(200字)

解答＆解説

問１

実行予算とは、受注した各工事の施工に必要であろう原価を集計して作成される予算であり、以下の三つの機能を有している。①実行予算を設定することにより、目標原価が明確になり、「動機づけコスト・コントロール機能」が期待できる。②利益計画等を達成するためには、受注した各工事の目標利益の積み重ねが必要である。実行予算は、「それらの目標利益を達成するための基礎としての機能」がある。③実行予算は、管理責任区分と明確に対応したコスト別に編成される。個別工事での達成目標は、さらに各セクションに細分化してコントロールされる。これらのことから、実行予算は「責任会計制度を効果的にすすめる手段となる機能」があるといえる。

問2

内部利益率法は、その投資案の正味現在価値がゼロとなる内部利益率（割引率）を求め、内部利益率がより大きな投資案ほど有利と判定する方法である。一方、投資案が独立投資案である場合には、内部利益率が資本コスト率（最低所要利益率）よりも大きければその投資案は有利であると判定し、逆に内部利益率が資本コスト率よりも小さければその投資案は不利であると判定される。なお、内部利益率は試行錯誤で求めなければならない。

問1

建設業の生産現場は，期間有限の個性をもったものであるといえる。それゆえ，その原価管理実践は，各工事別に設定される「実行予算」を中核として実施される。工事別実行予算は，多様な機能を果たすことが要求されるが，これを次の3つにまとめることができる。

1	【内部指向コスト・コントロールのスタート】 積算に基づく見積原価段階はあくまでも対外的受注促進活動の一環である。一方，工事実行予算は，建設現場の作業管理者も「参加」した達成可能な目標原価を中心としたものでなければならない。この意味で，実行予算の編成段階は，動機づけコスト・コントロールであり，コントロール活動の出発点となる。
2	【利益計画の具体的達成を果たす基礎】 利益計画およびその統制は，通常，期間予算を中心に展開されるが，その達成を可能にするのは，建設業の場合，個々の工事による個別利益の積み重ね以外にない。総合的利益計画とのバランスを十分に意識し，個別工事の利益目標を確定していくことが大切である。
3	【責任会計制度を効果的にすすめる手段】 実行予算は，管理責任区分と明確に対応したコスト別に編成されるべきであり，個別工事での達成目標は，さらに各セクションに細分化してコントロールしていかなければならない。

このような機能を果たすべき工事実行予算は，次の6つの手順によって編成される。

手順１：予算書作成のチームを編成する。偏った編成スタッフは必ず目標達成を阻害する要因となる。
手順２：受注した工事の特徴を整理する。
手順３：対外的「見積書」の特殊事情を抽出するばかりでなく，実行予算との一般的相違点を明確にしておく。
手順４：「見積書」からの組み替え作業をする。
手順５：実行予算案を関係部署に回付し，必要な調整をする。
手順６：実行予算の最終的審査，決裁をする。

問２

設備投資の意思決定モデルとは，設備投資案の優劣を評価する方法であり，次に示すような代表的なものがある。まず，貨幣の時間価値を考慮する評価技法と考慮しない評価技法の２つに大別される。なお，本来，設備投資の意思決定においては，時間価値を考慮した計算を行うべきである。ところが実務上は，簡便性などを考慮して，時間価値を考慮しない計算方法を採用することも多い。

⑴時間価値を考慮する方法	①正味現在価値法 ②内部利益率法 ③割引回収期間法
⑵時間価値を考慮しない方法	①回収期間法 ②投下資本利益率法

内部利益率法（internal rate of return method：IRR法）は，その投資案の正味現在価値がゼロとなる割引率（これを「内部利益率」という）を求め，内部利益率がより大きな投資案ほど有利と判定する方法である。投資案が独立投資案である場合には，内部利益率が最低所要利益率である資本コスト率よりも大きければ，その投資案は有利であると判定し，逆に内部利益率が資本コスト率よりも小さければ，その投資案は不利であると判定される。なお，内部利益率は試行錯誤で求めなければならない。

問題

〔第2問〕 次の文章の[　　]の中に入れるべき最も適切な用語を下記の<用語群>の中から選び、その記号（ア～ネ）を解答用紙の所定の欄に記入しなさい。 (14点)

1．わが国の『原価計算基準』では、「原価管理とは、原価の標準を設定してこれを指示し、原価の実際の発生額を計算記録し、これを標準と比較して、その差異の原因を分析し、これに関する資料を経営管理者に報告し、[1]を増進する措置を講ずること」と定義されている。ここでの原価管理は、標準原価計算による[2]を意味する。

2．原価標準とは製品単位当たりの標準原価であり、標準原価は原価標準に[3]を乗じて算出される。

3．原価標準は、原則として[4]標準と[5]標準との両面を考慮して算定する。原単位管理または歩掛管理の観点からは[4]標準が特に重視される。

4．原価標準は、財貨の消費量を科学的、統計的調査に基づいて能率の尺度となるように予定し、かつ[6]または正常価格をもって計算した原価をいう。ここで能率の尺度としての標準とは、その標準が適用される期間において達成されるべき原価の目標を意味する。

5．標準原価はそのタイトネス（厳格さ）を基礎に、理想標準原価、[7]、[8]に分類される。[7]は、良好な能率のもとにおいて、その達成が期待されうる原価である。[8]は、経営における異常な状態を排除し、経営活動に関する比較的長期にわたる過去の実際数値を統計的に平準化し、これに将来のすう勢を加味した正常能率、正常操業度および正常価格に基づいて決定される原価である。

<用語群>

ア　実際価格	イ　予定価格	ウ　標準価格	エ　物量
オ　価格	カ　実際生産量	キ　計画生産量	ク　正常生産量
コ　事前原価	サ　事後原価	シ　正常原価	ス　見積原価
セ　現実的標準原価	ソ　基準標準原価	タ　当座標準原価	チ　原価能率
ト　作業効率	ナ　原価統制	ニ　原価企画	ネ　コスト・マネジメント

解答&解説

記号（ア～ネ）

1	2	3	4	5	6	7	8
チ	ナ	カ	エ	オ	イ	セ	シ

1	【原価計算基準一（三)】 「経営管理者の各階層に対して，原価管理に必要な原価資料を提供すること。ここに原価管理とは，原価の標準を設定してこれを指示し，原価の実際の発生額を計算記録し，これを標準と比較して，その差異の原因を分析し，これに関する資料を経営管理者に報告し，原価能率を増進する措置を講ずることをいう。」 よって，［1］は「原価能率（チ)」が正解である。 原価統制（コスト・コントロール）とは，執行活動に関して，原価標準が実現されるように，執行活動を指導，規制するとともに，原価能率を増進する措置を講ずることをいう。このためには，各階層の経営管理者に対して，その原価責任を明確にし，執行活動の達成目標たる原価標準を伝達し，意欲づけ（モチベーション）を行う。次に，原価標準と原価の実際発生額の差異を算定し，その原因分析を行い，これら資料を経営管理者に報告し，原価効率を増進する措置をとらせることが必要である。 このことから，［2］は「原価統制（ナ)」だと推測できる。
2	標準原価＝原価標準×「実際生産量（カ)［3］」
3	標準原価の設定は，価格の標準，物量（能率）の標準，操業度標準などの組み合わせによって，幾分の多様性を考えることができる。また，歩掛（ぶがかり）とは，作業を行うための必要資材の単位数量や時間当たりの作業量を数値化したものである。これらのことから，［4］と［5］の正解の組み合わせは，それぞれ「物量（エ)」と「価格（オ)」になる。
4	【原価計算基準四（一）２】 「標準価格とは，財貨の消費量を科学的，統計的調査に基づいて能率の尺度となるように予定し，かつ，予定価格又は正常価格をもって計算した原価をいう。この場合，能率の尺度としての標準とは，その標準が適用される期間において達成されるべき原価の目標を意味する。」 したがって，［6］は「予定価格（イ)」が入る。
5	【原価計算基準四（一）２】 「現実的標準原価とは，良好な能率のもとにおいて，その達成が期待されうる標準原価をいい，通常生ずると認められる程度の減損，仕損，遊休時間等の余裕率を含む原価であり，かつ，比較的短期における予定操業度および予定価格を前提として決定され，これら諸条件の変化に伴い，しばしば改訂される標準原価である。現実的標準原価は，原価管理に最も適するのみでなく，棚卸資産価額の算定及び予算の編成のためにも用いられる。」 よって，［7］は「現実的標準原価（セ)」が正解である。 【原価計算基準四（一）２】 「正常原価とは，経営における異常な状態を排除し，経営活動に関する比較的長期にわたる過去の実際数値を統計的に平準化し，これに将来のすう勢を加味した正常能率，正常操業度および正常価格に基づいて決定される原価をいう。正常原価は，経済状態の安定している場合に，棚卸資産価額の算定のために最も適するのみでなく，原価管理のための標準としても用いられる。」 このことから，［8］は「正常原価（シ)」だと分かる。

問題

〔第3問〕 当社におけるM資材の購入と現場搬入に関する次の<資料>に基づいて、下の設問に答えなさい。なお、副費配賦差異については、月次ではそのまま繰り越す処理をしている。（12点）

<資料>

1．M資材の当月購入額（送り状価額） ¥8,400,000
2．M資材の当月現場搬入額（送り状価額ベース） 鉄筋工事用¥7,700,000 共通仮設工事用¥655,000
なお、当月中にすべて現場で利用されている。
3．M資材に関する当月副費実際発生額 ¥393,750
4．前月末におけるM資材の棚卸高（材料副費を含む） ¥304,500
5．M資材に対する副費の配賦方法 購入時に送り状価額に対して5％を予定配賦する。
6．前月末におけるM資材に対する副費配賦差異の次月繰越高 ¥2,950（借方残高）

問1 直接工事費に算入されるM資材費を計算しなさい。

問2 次月に繰り越すM資材の金額を計算しなさい。

問3 M資材について当月の副費配賦差異の勘定残高を計算し、借方差異の場合は「A」、貸方差異の場合は「B」を解答用紙の所定の欄に記入しなさい。

解答&解説

問1

¥ 8085000

問2

¥ 351750

問3

¥ 23300 記号（AまたはB） B

問1 直接工事費を計算するので，「鉄筋工事用」だけが計算対象になることに注意する。

・¥7,700,000×（100%＋5％）＝¥8,085,000

問２、問３　勘定連絡図

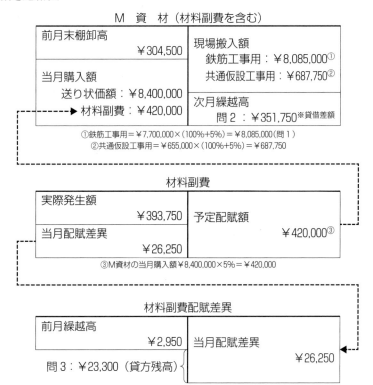

M　資　材（材料副費を含む）

前月末棚卸高 ¥304,500	現場搬入額 鉄筋工事用：¥8,085,000① 共通仮設工事用：¥687,750②
当月購入額 送り状価額：¥8,400,000 材料副費：¥420,000	次月繰越高 問２：¥351,750※貸借差額

①鉄筋工事用＝¥7,700,000×（100%+5%）＝¥8,085,000（問１）
②共通仮設工事用＝¥655,000×（100%+5%）＝¥687,750

材料副費

実際発生額 ¥393,750	予定配賦額 ¥420,000③
当月配賦差異 ¥26,250	

③M資材の当月購入額¥8,400,000×5%＝¥420,000

材料副費配賦差異

前月繰越高 ¥2,950	当月配賦差異 ¥26,250
問３：¥23,300（貸方残高）	

問題

〔第4問〕 Z製品を製造販売している当社では、従来使用してきた設備の一部が古くなったので、その代替として設備Aと設備Bのどちらを20×2年度期首から導入すべきかを検討している。次の<資料>に基づいて、下記の設問に答えなさい。なお、計算の過程で端数が生じた場合は、最終数値の段階で、製品の個数については1個未満の端数を切り上げ、金額については円未満を四捨五入しなさい。また、問2以降の設問では、税金の影響を考慮して解答すること。 (20点)

<資料>

1. 設備Aの購入原価は30,000,000円、設備Bの購入原価は24,000,000円であり、20×1年度期末に現金で支払われる。いずれの設備も、耐用年数3年、残存価額ゼロの定額法で減価償却を20×2年度期末から行う。
2. 設備A、設備Bを使用して製造販売されるZ製品の販売価格は単価20,000円、Z製品の製造販売個数は毎年同じであり、すべて現金売上である。
3. 設備A、設備Bの使用に伴って発生する関連原価(Z製品1個当たり変動費、年間発生固定費)は次のように見積もられている。

	設備A		設備B	
	変動費	年間固定費	変動費	年間固定費
材料費	8,000円	—	9,500円	—
経費	2,000円	3,000,000円	2,500円	2,000,000円
合計	10,000円	3,000,000円	12,000円	2,000,000円

上記の費用はすべて現金支出費用であり、固定費の中に減価償却費は含まれていない。

4. 当社は今後3年間にわたり黒字が継続すると見込まれる。実効税率は40%である。
5. 税引後資本コストは6%であり、割引計算に際しては次の年金現価係数を使用すること。

	6%
3年	2.673

6. 各年度におけるキャッシュ・フローは、各年度末にまとめて発生するものと仮定する。

問1 設備AでZ製品を製造販売する場合の次の金額を計算しなさい。
(1) 製品1個当たり限界利益(貢献利益)
(2) 企業会計において費用に計上される年間個別固定費総額

問2 設備Aを使用してZ製品2,000個を毎年製造販売するものと仮定した場合の次の金額を計算しなさい。
(1) Z製品製造販売に関わる1年間のネット・キャッシュ・インフロー
(2) Z製品製造販売に関わる3年間のネット・キャッシュ・インフローの現在価値合計
(3) 正味現在価値

問3 設備Aを使用してZ製品を製造販売するものと仮定する。
(1) 1年間のZ製品の製造販売個数をXとすると、1年間のネット・キャッシュ・インフローはいくらになるか。その計算式を示しなさい。
(2) Z製品製造販売に関わる3年間のネット・キャッシュ・インフローの現在価値合計はいくらになるか。その計算式を示しなさい。
(3) 正味現在価値が正(プラス)となる(設備投資の採算がとれるようになる)のは1年間何個以上のZ製品を製造販売したときからかを計算しなさい。
なお、(1)と(2)の計算式については、最も簡単にした式を示すこと。

問4 設備Bを使用してZ製品を製造販売する場合、設備Bへの投資の正味現在価値が正(プラス)となる(設備投資の採算がとれるようになる)のは1年間何個以上のZ製品を製造販売したときからかを計算しなさい。

問5 (1) 設備A、設備Bへの投資の経済性の優劣が逆転するのは、1年間の製造販売量が何個以上のときからかを計算しなさい。
(2) 製造販売量が(1)の個数以上になるとどちらへの投資が有利になるかを示しなさい。

解答&解説

問１

(1) 10000 円

(2) 13000000 円

問２

(1) 14200000 円

(2) 37956600 円

(3) 7956600 円

問３

(1) 6000 X + 2200000 円

(2) 16038 X + 5880600 円

(3) 1504 個以上

問４

1454 個以上

問５

(1) 1704 個以上

(2) A 記号（AまたはB）

問１

⑴ 限界利益（貢献利益）＝販売価格－変動費＝20,000円－（8,000円＋2,000円）＝10,000円

⑵ 年間個別固定費総額＝年間固定費＋減価償却費※＝3,000,000円＋10,000,000円＝13,000,000円

※減価償却費＝（取得原価30,000,000円－残存価額０円）÷耐用年数３年＝10,000,000円

問2

(1)　設備Aを使用した場合の損益計算は以下のようになる。

①売上高	40,000,000円	＝@20,000円×2,000個
②変動費	20,000,000円	＝@10,000円×2,000個
③貢献利益	20,000,000円	＝①－②
④固定費	13,000,000円	問1(2)参照
⑤税引前利益	7,000,000円	＝③－④
⑥法人税	2,800,000円	＝7,000,000円⑤×40%
⑦税引後利益	4,200,000円	＝⑤－⑥

固定費のうち，減価償却費はキャッシュ・アウトフローを伴わない費用なので，「⑦税引後利益」に減価償却費を加算した金額が，ネット・キャッシュ・インフローになる。

・1年間のネット・キャッシュ・インフロー＝税引後利益⑦＋減価償却費※問1(2)

＝4,200,000円＋10,000,000円＝14,200,000円

(2)　3年間のネット・キャッシュ・インフローの現在価値合計

＝1年間のネット・キャッシュ・インフロー×年金現価係数

＝14,200,000円×2.673＝37,956,600円

(3)　正味現在価値＝現在価値合計－投資額＝37,956,600円－30,000,000円＝7,956,600円

【正味現在価値の図解】

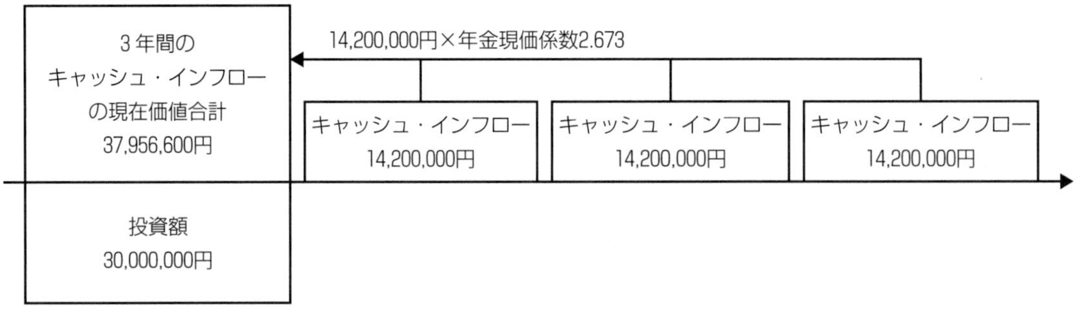

問3

(1)　①　貢献利益＝(売上単価－変動費)×χ＝(20,000円－10,000円)×χ＝10,000χ

②　固定費＝13,000,000円

③　税引前利益＝貢献利益①－固定費②＝10,000χ－13,000,000円

④　税引後利益＝税引前利益[③]×（100％－実効税率40％）＝（10,000χ－13,000,000円）×60％
＝6,000χ－7,800,000円

⑤　１年間のネット・キャッシュ・インフロー＝税引後利益[④]＋減価償却費[※問1(2)]
＝（6,000χ－7,800,000円）＋10,000,000円
＝6,000χ＋2,200,000円

⑵　３年間のネット・キャッシュ・インフローの現在価値合計
＝１年間のネット・キャッシュ・インフロー×年金現価係数
＝（6,000χ＋2,200,000円）×2.673
＝16,038χ＋5,880,600円

⑶　正味現在価値が正（プラス）になる場合は，投資額よりも３年間のネット・キャッシュ・インフローの現在価値合計が上回らなければならない。よって，以下のような算式が成り立つ。

投資額＜３年間のネット・キャッシュ・インフローの現在価値合計[(2)]
30,000,000円＜16,038χ＋5,880,600円
24,119,400円＜16,038χ
1,503.8…＜χ　　∴1,504個以上の販売が必要（１個未満の端数は切り上げ）

問４

設備Ｂを使用して，Ｚ製品を製造販売する個数をχと仮定する。

①　貢献利益＝（売上単価－変動費）×χ＝（20,000円－12,000円）×χ＝8,000χ

②　減価償却費＝（取得原価24,000,000円－残存価額０円）÷耐用年数３年＝8,000,000円

③　固定費＝年間固定費＋減価償却費[②]＝2,000,000円＋8,000,000円＝10,000,000円

④　税引前利益＝貢献利益[①]－固定費[③]＝8,000χ－10,000,000円

⑤　税引後利益＝税引前利益[④]×（100％－実効税率40％）＝（8,000χ－10,000,000円）×60％
＝4,800χ－6,000,000円

⑥　１年間のネット・キャッシュ・インフロー＝税引後利益[⑤]＋減価償却費[②]
＝（4,800χ－6,000,000円）＋8,000,000円
＝4,800χ＋2,000,000円

⑦　３年間のネット・キャッシュ・インフローの現在価値合計
＝１年間のネット・キャッシュ・インフロー[⑥]×年金現価係数
＝（4,800χ＋2,000,000円）×2.673
＝12,830.4χ＋5,346,000円

⑧　投資額＜3年間のネット・キャッシュ・インフローの現在価値合計[⑦]

24,000,000円＜12,830.4χ＋5,346,000円

18,654,000＜12,830.4χ

1,453.8…＜χ　　　　　　　　∴1,454個以上の販売が必要（1個未満の端数は切り上げ）

問5

上記までの解答結果により，投資の正味現在価値が正（プラス）となる製造販売量が少ないのは，設備Bによる製造販売のケースである（設備Aは1,504個以上，設備Bは1,454個以上）。ということは，投資の正味現在価値が逆転するのは，「設備Aの投資の正味現在価値」が「設備Bの投資の正味現在価値」を超えたときだと考えられる。したがって，以下のような算式が成り立つ。なお，Z製品の製造販売個数をχと仮定する。

⑴　設備Aの正味現在価値＞設備Bの正味現在価値

設備Aの現在価値合計[問3⑵]－設備A投資額＞設備Bの現在価値合計[問4⑦]－設備B投資額

（16,038χ＋5,880,600円）－30,000,000円＞（12,830.4χ＋5,346,000円）－24,000,000円

3,207.6χ＞5,465,400円

χ＞1,703.8…　　　　　　　∴　1,704個以上の販売が必要（1個未満の端数は切り上げ）

⑵　製造販売量が1,704個以上になると，設備Bへの投資より，設備Aへの投資のほうが有利である。

問題

〔第5問〕　下記の＜資料＞は、X建設工業株式会社（当会計期間：20×8年4月1日～20×9年3月31日）における20×8年10月の工事原価計算関係資料である。次の設問に解答しなさい。月次で発生する原価差異は、そのまま翌月に繰り越す処理をしている。なお、計算の過程で端数が生じた場合は、円未満を四捨五入すること。　（34点）

問1　工事完成基準を採用して当月の完成工事原価報告書を作成しなさい。

問2　当月末における未成工事支出金の勘定残高を計算しなさい。

問3　次の配賦差異について当月末の勘定残高を計算しなさい。なお、それらの差異について、借方残高の場合は「A」、貸方残高の場合は「B」を解答用紙の所定の欄に記入すること。

①　重機械部門費予算差異　　②　重機械部門費操業度差異

＜資料＞

1．当月の工事の状況

工事番号	着工	竣工
801	前月以前	当月
802	前月以前	当月
803	当月	月末現在未成
804	当月	当月

2．月初における前月繰越金額

⑴　月初未成工事原価の内訳

（単位：円）

工事番号	材料費	労務費	外注費（労務外注費）	経費（人件費）	合計
８０１	142,100	90,500	127,700（105,000）	83,110（55,200）	443,410
８０２	60,500	52,200	71,330（ 49,550）	32,900（27,900）	216,930
計	202,600	142,700	199,030（154,550）	116,010（83,100）	660,340

（注）　（　　）の数値は、当該費目の内書の金額である。

⑵　配賦差異の残高

重機械部門費予算差異　¥1,450（貸方）　重機械部門費操業度差異　¥1,200（貸方）

3．当月の材料費に関する資料

⑴　甲材料は常備材料で、材料元帳を作成して実際消費額を計算している。消費単価の計算について先入先出法を使用している。10月の材料元帳の記録は次のとおりである。

日　付	摘　要	単価（円）	数量（単位）
10月　1日	前月繰越	10,000	40
3日	購入	11,000	60
6日	８０２工事で消費		50
11日	購入	12,000	30
16日	８０４工事で消費		60
19日	戻り		5
22日	購入	13,000	40
24日	８０３工事で消費		60
31日	月末在庫		5

（注１）12日に11日購入分として、¥12,000の値引を受けた。

（注２）19日の戻りは6日出庫分である。戻りは出庫の取り消しとして処理し、戻り材料は次回の出庫のとき最初に出庫させること。

（注３）棚卸減耗は発生しなかった。

⑵　乙材料は仮設工事用の資材で、工事原価への算入はすくい出し法により処理している。当月の工事別関係資料は次のとおりである。

（単位：円）

工事番号	８０１	８０２	８０３	８０４
当月仮設資材投入額	（注）	35,000	39,100	38,400
仮設工事完了時評価額	10,500	16,500	（仮設工事未了）	22,600

（注）８０１工事の仮設工事は前月までに完了し、その資材投入額は前月末の未成工事支出金に含まれている。

4．当月の労務費に関する資料

当社では、重機械のオペレーターとして月給制の従業員を雇用している。基本給および基本手当については、原則として工事作業に従事した日数によって実際発生額を配賦している。ただし、特定の工事に関することが判明している残業手当は、当該工事原価に算入する。当月の関係資料は次のとおりである。

⑴　支払賃金（基本給および基本手当　対象期間9月25日～10月24日）　¥795,000

⑵　残業手当（８０２工事　対象期間10月25日～10月31日）　¥22,000

⑶　前月末未払賃金計上額　¥110,600

⑷　当月末未払賃金要計上額（ただし残業手当を除く）　¥96,850

⑸　工事従事日数

（単位：日）

工事番号	８０１	８０２	８０３	８０４	合計
工事従事日数	4	6	7	8	25

5．当月の外注費に関する資料

当社の外注工事には、資材購入や重機械工事を含むもの（一般外注）と労務提供を主体とするもの（労務外注）がある。当月の工事別の実際発生額は次のとおりである。

（単位：円）

工事番号	801	802	803	804	合計
一般外注	25,600	98,700	89,460	155,500	369,260
労務外注	19,000	67,500	78,200	140,000	304,700

（注）労務外注費は、完成工事原価報告書においては労務費に含めて記載することとしている。

6．当月の経費に関する資料

(1) 直接経費の内訳 （単位：円）

工事番号	801	802	803	804	合計
動力用水光熱費	4,000	5,900	10,700	14,300	34,900
従業員給料手当	9,800	15,900	20,800	33,300	79,800
労務管理費	2,200	7,700	10,100	21,400	41,400
法定福利費	1,050	3,600	6,700	7,450	18,800
福利厚生費	3,500	8,600	9,060	15,800	36,960
事務用品費	1,300	4,200	3,100	9,800	18,400
計	21,850	45,900	60,460	102,050	230,260

(2) 役員であるＺ氏は一般管理業務に携わるとともに、施工管理技術者の資格で現場管理業務も兼務している。役員報酬のうち、担当した当該業務に係る分は、従事時間数により工事原価に算入している。また、工事原価と一般管理費の業務との間には等価係数を設定している。関係資料は次のとおりである。

(a) Ｚ氏の当月役員報酬額　￥682,000

(b) 施工管理業務の従事時間 （単位：時間）

工事番号	801	802	803	804	合計
従事時間	14	22	14	30	80

(c) 役員としての一般管理業務は100時間であった。

(d) 業務間の等価係数（業務1時間当たり）は次のとおりである。

施工管理　1.5　　一般管理　1.0

(3) 工事に利用する重機械に関係する費用（重機械部門費）は、固定予算方式によって予定配賦している。当月の関係資料は次のとおりである。

(a) 固定予算（月間換算）

基準重機械運転時間　180時間　　その固定予算額　￥225,000

(b) 工事別の使用実績 （単位：時間）

工事番号	801	802	803	804	合計
従事時間	15	60	50	60	185

(c) 重機械部門費の当月実際発生額　￥232,000

(d) 重機械部門費はすべて人件費を含まない経費である。

解答&解説

問1

完成工事原価報告書

自　20×8年10月1日
至　20×8年10月31日

X建設工業株式会社

（単位：円）

Ⅰ．材料費		1347400
Ⅱ．労務費		1108250
（うち労務外注費	381050）	
Ⅲ．外注費		324280
Ⅳ．経　費		761460
（うち人件費	489000）	
完成工事原価		3541390

問2

¥ 1355570

問3

① 重機械部門費予算差異　¥ 5550　記号（AまたはB）A

② 重機械部門費操業度差異　¥ 7450　記号（　同　上　）B

問1

原価計算表

(単位:円)

	801工事		802工事		803工事	804工事	合　計
	前月繰越	当月発生	前月繰越	当月発生	当月発生	当月発生	
Ⅰ. 材料費							
前月繰越	142,100	—	60,500	—	—	—	202,600
甲材料費	—	0	—	455,000	742,000	666,000	1,863,000
乙材料費	—	△10,500	—	18,500	39,100	15,800	62,900
〔材料費合計〕	〔142,100〕	〔△10,500〕	〔60,500〕	〔473,500〕	〔781,100〕	〔681,800〕	〔2,128,500〕
Ⅱ. 労務費							
前月繰越	90,500	—	52,200	—	—	—	142,700
労務費	—	125,000	—	209,500	218,750	250,000	803,250
労務外注費	105,000	19,000	49,550	67,500	78,200	140,000	459,250
〔労務費合計〕	〔195,500〕	〔144,000〕	〔101,750〕	〔277,000〕	〔296,950〕	〔390,000〕	〔1,405,200〕
Ⅲ. 外注費							
前月繰越	22,700	—	21,780	—	—	—	44,480
一般外注費	—	25,600	—	98,700	89,460	155,500	369,260
〔外注費合計〕	〔22,700〕	〔25,600〕	〔21,780〕	〔98,700〕	〔89,460〕	〔155,500〕	〔413,740〕
Ⅳ. 経費							
前月繰越	83,110	—	32,900	—	—	—	116,010
直接経費合計	—	21,850	—	45,900	60,460	102,050	230,260
Z氏役員報酬	—	65,100	—	102,300	65,100	139,500	372,000
重機械部門費	—	18,750	—	75,000	62,500	75,000	231,250
〔経費合計〕	〔83,110〕	〔105,700〕	〔32,900〕	〔223,200〕	〔188,060〕	〔316,550〕	〔949,520〕
当月完成工事原価	443,410	264,800	216,930	1,072,400		1,543,850	3,541,390
当月末未成工事原価					1,355,570		1,355,570

(1) 甲材料費

材料元帳

〈先入先出法〉

月	日	摘　　要	受入 数量	受入 単価(円)	受入 金額(円)	払出 数量	払出 単価(円)	払出 金額(円)	残高 数量	残高 単価(円)	残高 金額(円)
10	1	前月繰越	40	10,000	400,000				40	10,000	400,000
	3	購　入	60	11,000	660,000				40 60	10,000 11,000	400,000 660,000
	6	802工事で消費				40 10	10,000 11,000	400,000 110,000	50	11,000	550,000
	11	購　入	30	12,000	360,000				50 30	11,000 12,000	550,000 360,000
	12	値　引			△12,000				50 30	11,000 11,600	550,000 348,000
	16	804工事で消費				50 10	11,000 11,600	550,000 116,000	20	11,600	232,000
	19	802工事の戻り				△5	11,000	△55,000	5 20	11,000 11,600	55,000 232,000
	22	購　入	40	13,000	520,000				5 20 40	11,000 11,600 13,000	55,000 232,000 520,000
	24	803工事で消費				5 20 35	11,000 11,600 13,000	55,000 232,000 455,000	5	13,000	65,000
	31	次月繰越				5	13,000	65,000			
			170	—	1,928,000	170	—	1,928,000			

802工事：¥400,000＋¥110,000－¥55,000＝¥455,000

803工事：¥55,000＋¥232,000＋¥455,000＝¥742,000

804工事：¥550,000＋¥116,000＝¥666,000　　合計：¥1,863,000

(2) 乙材料費

801工事：△¥10,500

802工事：¥35,000－¥16,500＝¥18,500

803工事：¥39,100

804工事：¥38,400－¥22,600＝¥15,800　　合計：¥62,900

⑶　労務費

①　実際発生額＝支払賃金－前月末未払賃金計上額＋当月末未払賃金要計上額

＝¥795,000－¥110,600＋¥96,850＝¥781,250

②　実際賃率＝実際発生額① ÷工事従事日数＝¥781,250÷25日＝@¥31,250

③　実際配賦額＝実際賃率② ×工事従事日数

801工事：@¥31,250×4日＝¥125,000

802工事：@¥31,250×6日＝¥187,500＋残業手当¥22,000＝¥209,500

803工事：@¥31,250×7日＝¥218,750

804工事：@¥31,250×8日＝¥250,000　　合計：¥803,250

⑷　Z氏役員報酬

①　工事原価＝$¥682,000\times\dfrac{80時間\times1.5}{80時間\times1.5+100時間\times1.0}$＝¥372,000

②　実際配賦率＝工事原価① ÷従事時間＝¥372,000÷80時間＝@¥4,650

③　実際配賦額＝実際配賦率② ×従事時間

801工事：@¥4,650×14時間＝¥65,100

802工事：@¥4,650×22時間＝¥102,300

803工事：@¥4,650×14時間＝¥65,100

804工事：@¥4,650×30時間＝¥139,500　　合計：¥372,000

⑸　重機械部門費

①　予定配賦率＝固定予算額÷基準重機械運転時間＝¥225,000÷180時間＝@¥1,250

②　予定配賦額＝予定配賦率① ×従事時間

801工事：@¥1,250×15時間＝¥18,750

802工事：@¥1,250×60時間＝¥75,000

803工事：@¥1,250×50時間＝¥62,500

804工事：@¥1,250×60時間＝¥75,000　　合計：¥231,250

(6) 完成工事原価報告書の作成

前記の「原価計算表」の完成工事（801工事，802工事および804工事）について，各費目合計等を集計すると以下のようになり，解答である完成工事原価報告書が完成できる。なお，うち書きの「労務外注費」および「人件費」については，個別に集計する必要がある。

（単位：円）

	801工事		802工事		804工事	合　計
	前月繰越	当月発生	前月繰越	当月発生	当月発生	
材料費	142,100	△10,500	60,500	473,500	681,800	1,347,400
労務費	195,500	144,000	101,750	277,000	390,000	1,108,250
外注費	22,700	25,600	21,780	98,700	155,500	324,280
経　費	83,110	105,700	32,900	223,200	316,550	761,460
完成工事原価						3,541,390
労務外注費	105,000	19,000	49,550	67,500	140,000	381,050
労務外注費						381,050
前月繰越	55,200	—	27,900	—	—	83,100
従業員給料手当	—	9,800	—	15,900	33,300	59,000
法定福利費	—	1,050	—	3,600	7,450	12,100
福利厚生費	—	3,500	—	8,600	15,800	27,900
乙氏役員報酬	—	65,100	—	102,300	139,500	306,900
人件費						489,000

問2

当月末における未成工事支出金の勘定残高は，未完成工事原価を意味しているので，前記の「原価計算表」の当月末未成工事原価の合計金額（¥1,355,570）が正解となる。

問3

① 重機械部門費予算差異

(i) 当月の配賦差異＝固定予算額－実際発生額＝¥225,000－¥232,000＝△¥7,000（借方差異）

(ii) 当月末の勘定残高＝当月の配賦差異(i)－前月繰越

＝¥7,000（借方差異）－¥1,450（貸方残高）＝¥5,550（借方残高：A）

② 重機械部門費操業度差異

(i) 当月の配賦差異＝(予定配賦率×従事時間)－固定予算額

＝(@¥1,250×185時間)－¥225,000＝＋¥6,250（貸方差異）

(ii) 当月末の勘定残高＝前月繰越＋当月の配賦差異(i)

＝¥1,200（貸方残高）＋¥6,250（貸方差異）＝¥7,450（貸方残高：B）

【図解】①重機械部門費予算差異および②重機械部門費操業度差異

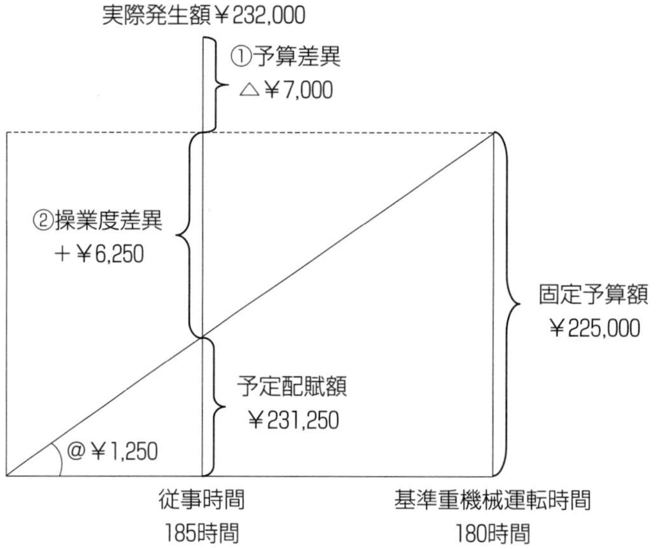

第30回

問題

〔第１問〕　次の問に解答しなさい。各問ともに指定した字数以内で記入すること。　（20点）

問１　建設業における原価計算の目的を説明しなさい。（300字）

問２　VE（Value Engineering）の内容を説明しなさい。（200字）

解答＆解説

問１

建設業における原価計算の目的は、適正な工事原価の算定といういわば「①対外的原価計算目的」と個別企業内の経営合理化といういわば「②対内的原価計算目的」に分けることができる。①前者は、開示が求められる財務諸表を作成するため（開示財務諸表作成目的）、工事を受注するのに必要な書類を作成するため（受注関係書類作成目的）、関係官公庁等に提出が必要な書類を作成するため（関係官公庁提出書類作成目的）に適正な原価データを提供することにある。一方、②後者は、個々の工事単位の原価を管理するため（個別工事原価管理目的）、全社的な視点からの利益を管理するため（全社的利益管理目的）に必要な原価データを提供することにある。

問 2

ＶＥとは、「価値」を「機能とコストの関係」で表し、価値の向上を計る手法であり、「価値＝機能÷コスト」という式で示される。ＶＥは、原価企画における原価削減のツールとして利用されている。建設業でのＶＥの適用領域は、「技術開発（構造開発、工法開発）」と「特定建造物の企画、計画、設計、調達、施工、使用の各段階」に分けることができる。また、建設業でのＶＥの主な適用段階は、開発段階、設計段階、施工段階である。

問 1

建設業における原価計算の目的は，「適正な工事原価の算定」といういわば対外的な目的と，経営能率の増進という「個別企業内の経営合理化」といういわば対内的な目的に分けることができる。これらの詳細をまとめると，次のようになる。

対外的原価計算目的

①開示財務諸表作成目的

建設業における財務諸表の開示制度は，会社法，金融商品取引法，税法，そして業界固有の建設業法に基づくものから成っている。これらのいずれの制度においても，完成工事原価および未成工事原価に関する原価計算作業は，すべての建設企業にとって不可欠である。建設業原価計算は，これら財務諸表作成に必要な適正な原価を提供することを必要最小限の目的として実施される。

②受注関係書類作成目的

典型的な競争的受注産業である建設業では，工事請負を成立させるまでにかなりの企業努力を費やすから，それに関係する書類作成と事前原価の算定とは，密接不離の関係にある。建設業でのこのような原価集計作業を「積算」ということがあるが，積算による見積原価は一種の事前原価計算によって測定されるものである。

	③関係官公庁提出書類作成目的	建設業での公共工事との関連は深いが，この特殊性や作業の社会的責任の大きさなどを因として，建設業では特有の調査資料等の報告が要求されている。代表的なものに「公共事業労務費調査」等があるが，これらの書類作成においては，単なる財務諸表の組替え作業でない部分的原価算定が必要となる。
対内的原価計算目的	④個別工事原価管理目的	建設業の原価管理は，基本的に，個別工事単位で実施される。なぜならば，原価の発生場所が主として工事現場であり，その現場は期間有限の移動性をもち，しかも各現場は個々の事情をもつ単品生産であるからである。建設業の個別工事原価管理とは，工事別の実行予算原価を作成し，これに基づき日常的作業コントロールを実施し，事後には予算と実績との差異分析をし，これらに関する原価資料を，逐次経営管理者各層に報告し，原価能率を増進する措置を講ずる一連の過程をいう。この過程は，前述の「①開示財務諸表作成目的」と有機的に結合して，制度的に実行されることが望ましい。広くは，TQC，VE，PERT 等の関連技法を利用した，会計制度から離れて実施されるコントロール活動も，この原価管理概念に含めることができるが，それらは会計制度ではない。
	⑤全社的利益管理目的	企業経営の安定的成長のためには，広い視野による計画的経営が必要である。一般に，この計画経営のためには，数年を対象とした長期利益計画と，次期を対象とした短期利益計画すなわち具体的に示現される予算とがある。利益計画とは，経済変動，受注活動，企業特質などを勘案して目標利益もしくは利益率を策定し，その実現のために，目標工事高および工事原価を予定計算することであるから，ここに，全社的，期間的な予定（見積）原価計算が実施される。このような利益計画の過程では，各種の選択的な意思決定があり，このための特別な計画原価の算定が制度外で臨時的に行われる。

問 2

VE（Value Engineering）とは，製品やサービスの「機能」とそれにかかる「コスト」との関係を把握し，システム化された手順によって，その「価値」の向上を計る手法をいう。簡単に言い換えると，機能（性能，品質）を下げず，コストを抑える手法である（詳細は後述）。その例でいえば，建設業の場合，建物の構造強度を確保したまま，鉄筋のサイズや本数を減らすことが挙げられる。VE は，あくまでも，製品やサービスの機能（性能，品質）を落とさないことが前提である。そして，この考えに基づいて，企画，開発，設計，調達，製造などの工程で，具体的な改善案や代替案を模索することになる。

VE は原価低減のツールとして幅広く利用されており，原価企画活動においても重要な位置を占めている。VE においては，「価値」を「機能とコストの関係」で表し，以下のような式で示される。

・価値（Value）＝機能（Function）÷機能を実現するためのコスト（Cost）

ここで，算式の価値（Value）を高める方法としては，以下の4つのパターンが考えられる。

(1) 機能（一定）÷コスト（低減）：同じ機能のものを，安いコストで調達

(2) 機能（向上）÷コスト（一定）：同じコストで，より優れた機能をもったものを調達

(3) 機能（向上）÷コスト（やや増加）：コストは上がるが，より優れた機能をもったものを調達

(4) 機能（向上）÷コスト（低減）：より優れた機能を果たすものを，より安いコストで調達

VEの実施のプロセスはジョブプランと呼ばれ，一般に，VE適用対象の設定→機能定義→機能に対するウェイトづけ→機能実現のためのアイデアの創出と代替案の作成→改善案の提言と採用，の手順で行われる。

建設業でのVEの適用領域は，技術開発（構造開発，工法開発）と特定建造物の企画，計画，設計，調達，施工，使用の各段階に分けることができる。建設分野においてのVEは，民間工事の施工段階で最初に適用された後，この施工段階でのVEの有効性が認識され，設計段階や技術開発などの分野でも，VEが適用されるようになった。さらに，公共工事にもVEが導入されている。

問題

〔第2問〕 個別原価計算と総合原価計算に関する次の文章のうち、正しい場合は「A」、正しくない場合は「B」を解答用紙の所定の欄に記入しなさい。 (10点)

1．受注生産の場合、顧客の仕様に応じた製品を製造するために製造指図書が発行される。個別原価計算では、この製造指図書ごとに原価を集計していくことにより製品製造原価を計算する。

2．個別原価計算では、製造指図書に集計された原価が製品原価となるが、複数以上の同種製品をひとまとめ（＝1ロット）にして生産する場合に適用されるロット別個別原価計算の場合、あるロットの製品単位原価はそのロットの平均原価として算出される。

3．個別原価計算では、ある製品の完成までに4か月かかったとすれば、4か月間にわたってその製品製造のために発生した原価が当該製品の製造指図書に集計されて、製品原価となる。したがって、その4か月の間に、会計期間の期末が到来した場合、その製品の仕掛品原価は計算できない。

4．総合原価計算は標準製品を大量に見込生産する企業に適しているといわれる。総合原価計算を採用している企業では、製造指図書は発行されず、一定期間に標準製品を製造するために発生した原価を集計する。

5．総合原価計算を採用する場合、製品単位原価は、一定期間に標準製品を製造するために発生した原価をその期間内に生産された製品生産量で割った平均原価として計算される。

解答&解説

記号（AまたはB）

1	2	3	4	5
A	A	B	B	A

問題	正解	解　説
1	A	個別原価計算では，製造指図書ごとに原価を集計していくことにより製品製造原価を計算する。
2	A	ロット別個別原価計算の場合，特定のロットの製品単位原価はそのロットの平均原価として算出されることになる。
3	B	会計期間の期末に，当該製品の製造指図書に集計されている原価が，仕掛品原価として計算できる。
4	B	総合原価計算を採用している企業では，規格製品の反復的な生産を指示する「継続製造指図書」が発行される。
5	A	総合原価計算は，一原価計算期間において発生した総製造原価を同じ期間の生産数量（換算されたデータを含む）で割って，製品の単位当たり原価を計算する手法である。

問題

〔第３問〕　鉄筋工事を請負う当社は、第１部門と第２部門で工事を実施している。また、各施工部門に共通して補助的なサービスを提供している修繕部門、運搬部門および管理部門を独立させて、部門ごとの原価管理を実施している。次の<資料>にもとづいて、下の設問に答えなさい。なお、計算の過程で端数が生じた場合は、各補助部門費の配賦すべき金額の計算結果の段階で円未満を四捨五入すること。（20点）

<資料>

1．各原価部門における当月の部門固有費実際発生額は次のとおりである。

（単位：円）

	施工部門		補助部門		
	第１部門	第２部門	修繕部門	運搬部門	管理部門
固定費	3,080,000	2,580,000	438,800	376,000	400,000
変動費	1,640,000	1,920,000	360,000	1,224,000	200,000
合計	4,720,000	4,500,000	798,800	1,600,000	600,000

2．修繕部門の用役提供能力の規模は、長期平均的な用役消費量に合わせて決定されている。各施工部門および運搬部門の平均操業度のもとで必要となる修繕作業時間（年間）および当月における実際修繕作業時間は次のとおりである。

	平均操業度	実際修繕作業時間
第1部門	1,268時間	99時間
第2部門	812時間	81時間
運搬部門	314時間	9時間
	2,394時間	189時間

3．運搬部門の用役提供能力の規模は、完全操業度に消費される用役を提供できるように決定されている。各施工部門および修繕部門の実際的生産能力のもとでの運搬距離（年間）および当月における実際運搬距離は次のとおりである。

	実際的生産能力	実際運搬距離
第1部門	1,500 km	120 km
第2部門	1,200 km	60 km
修繕部門	300 km	20 km
	3,000 km	200 km

4．各部門における従業員数および実際作業時間は次のとおりである。なお、従業員数は、管理部門用役の消費能力を示すものであり、また、管理部門の変動費は、当社全体の作業時間数に応じて発生する。

	第1部門	第2部門	修繕部門	運搬部門	管理部門
従業員数	50人	30人	10人	10人	4人
作業時間数	9,000時間	7,000時間	2,000時間	2,000時間	700時間

5．補助部門費は、階梯式配賦法により各関係部門に配賦している。

問1　補助部門の固定費と変動費を一括して用役消費量基準によって配賦する場合の補助部門費配賦表を作成しなさい。ただし、補助部門費の配賦の順番は、解答用紙に示したとおりとする。

問2　補助部門の固定費と変動費とを区別し、それぞれ適切な配賦基準によって配賦する場合の補助部門費配賦表を作成しなさい。ただし、補助部門費の配賦の順番は、解答用紙に示したとおりとする。また、補助部門の固定費は消費部門にとっても固定費、変動費は消費部門にとっても変動費として処理すること。

解答&解説

問1

補助部門費配賦表

(単位：円)

項目	施工部門		補助部門		
	第1部門	第2部門	(修繕部門)	(運搬部門)	(管理部門)
部門費合計	4720000	4500000	798800	1600000	600000
補助部門費					
(管理部門費)	270000	210000	60000	60000	
(運搬部門費)	996000	498000	166000	1660000	
(修繕部門費)	563640	461160	1024800		
合計	6549640	5669160			

問2

〔固定費〕

補助部門費配賦表

(単位：円)

項目	施工部門		補助部門		
	第1部門	第2部門	(運搬部門)	(修繕部門)	(管理部門)
部門費合計	3080000	2580000	376000	438800	400000
補助部門費					
(管理部門費)	200000	120000	40000	40000	
(修繕部門費)	253600	162400	62800	478800	
(運搬部門費)	266000	212800	478800		
合計	3799600	3075200			

〔変動費〕

補助部門費配賦表

(単位：円)

項目	施工部門		補助部門		
	第1部門	第2部門	(修繕部門)	(運搬部門)	(管理部門)
部門費合計	1640000	1920000	360000	1224000	200000
補助部門費					
(管理部門費)	90000	70000	20000	20000	
(運搬部門費)	746400	373200	124400	1244000	
(修繕部門費)	277420	226980	504400		
合計	2753820	2590180			

問1　　　　　　　　　　　　　　　　　　　　　　　　　　　　（単位：円）

(1)　管理部門費（用益消費量基準：作業時間数）

①　作業時間数の合計（管理部門は除く）＝9,000時間＋7,000時間＋2,000時間＋2,000時間
＝20,000時間

②　配賦率＝600,000÷20,000時間[①]＝@30

③　配賦額（＝配賦率[②]×作業時間数）

第1部門：@30×9,000時間＝270,000

第2部門：@30×7,000時間＝210,000

修繕部門：@30×2,000時間＝60,000

運搬部門：@30×2,000時間＝60,000

(2)　運搬部門費（用益消費量基準：実際運搬距離）

①　実際運搬距離の合計＝120km＋60km＋20km＝200km

②　配賦率＝(1,600,000＋60,000[(1)])÷200km[①]＝@8,300

③　配賦額（＝配賦率[②]×実際運搬距離）

第1部門：@8,300×120km＝996,000

第2部門：@8,300×60km＝498,000

修繕部門：@8,300×20km＝166,000

(3)　修繕部門費（用益消費量基準：実際修繕作業時間）

①　実際修繕作業時間の合計（運搬部門は除く）＝99時間＋81時間＝180時間

②　配賦額

第1部門：(798,800＋60,000[(1)]＋166,000[(2)])×99時間÷180時間[①]＝563,640

第2部門：(798,800＋60,000[(1)]＋166,000[(2)])×81時間÷180時間[①]＝461,160

問2

〔固定費〕

(1)　管理部門費（用益消費量基準：従業員数）

①　従業員数の合計（管理部門は除く）＝50人＋30人＋10人＋10人＝100人

②　配賦率＝400,000÷100人[①]＝@4,000

③　配賦額（＝配賦率[②]×従業員数）

第1部門：@4,000×50人＝200,000

第2部門：@4,000×30人＝120,000

運搬部門：@4,000×10人＝40,000

修繕部門：@4, 000×10人＝40, 000

(2) 修繕部門費（用益消費量基準：平均操業度）

① 平均操業度の合計＝1, 268時間＋812時間＋314時間＝2, 394時間

② 配賦率＝(438, 800＋40, 000(1))÷2, 394時間①＝@200

③ 配賦額（＝配賦率②×平均操業度）

第１部門：@200×1, 268時間＝253, 600

第２部門：@200×812時間＝162, 400

運搬部門：@200×314時間＝62, 800

(3) 運搬部門費（用益消費量基準：実際的生産能力）

① 実際的生産能力の合計（修繕部門は除く）＝1, 500km＋1, 200km＝2, 700km

② 配賦額

第１部門：(376, 000＋40, 000(1)＋62, 800(2))×1, 500km÷2, 700km①＝266, 000

第２部門：(376, 000＋40, 000(1)＋62, 800(2))×1, 200km÷2, 700km①＝212, 800

〔変動費〕

(1) 管理部門費（用益消費量基準：作業時間数）

① 作業時間数の合計（管理部門は除く）＝9, 000時間＋7, 000時間＋2, 000時間＋2, 000時間
＝20, 000時間

② 配賦率＝200, 000÷20, 000時間①＝@10

③ 配賦額（＝配賦率②×作業時間数）

第１部門：@10×9, 000時間＝90, 000

第２部門：@10×7, 000時間＝70, 000

修繕部門：@10×2, 000時間＝20, 000

運搬部門：@10×2, 000時間＝20, 000

(2) 運搬部門費（用益消費量基準：実際運搬距離）

① 実際運搬距離の合計＝120km＋60km＋20km＝200km

② 配賦率＝(1, 224, 000＋20, 000(1))÷200km①＝@6, 220

③ 配賦額（＝配賦率②×実際運搬距離）

第１部門：@6, 220×120km＝746, 400

第２部門：@6, 220×60km＝373, 200

修繕部門：@6, 220×20km＝124, 400

(3) 修繕部門費（用益消費量基準：実際修繕作業時間）

① 実際修繕作業時間の合計（運搬部門は除く）＝99時間＋81時間＝180時間

② 配賦額

第１部門：(360,000＋20,000[1]＋124,400[2])×99時間÷180時間[①]＝277,420

第２部門：(360,000＋20,000[1]＋124,400[2])×81時間÷180時間[①]＝226,980

問題

〔第４問〕 当社は、建設用資材を量産しているが、これに取り付ける部品Ｐも自製している。最近、部品Ｐについて外部購入してはどうかという意見が出ており、これに関連して各種の代替案が提出された。そこで次の＜資料＞に基づいて、下の設問に答えなさい。なお、計算の過程で端数が生じた場合は、計算途中では四捨五入せず、最終数値の円未満を四捨五入すること。 (18点)

＜資料＞

1．部品Ｐの月産2,000個に対する製造原価明細は次のとおりである。

直接材料費	7,000,000円	
直接労務費	13,000,000円	
製造間接費	10,000,000円	(うち、固定費5,200,000円)
合　計	30,000,000円	

(注) 製造間接費は直接作業時間を基準に配賦している。

2．部品Ｐの購入単価は13,000円であるが、外部購入を行うと新たに検収担当者が必要となる。検収担当者を雇用していくための費用は月額1,800,000円と予想される。

3．部品Ｐの製造を中止した場合、直接労務費は他に有効に転用しうる。また、製造間接費には機械減価償却費1,200,000円が含まれており、かかる機械は修繕部に転用でき、この場合、転用先では同種機械の賃借料月額1,300,000円が節約できる。

問１ 自製か外部購入かのどちらが財務の面で有利であるかを計算する原価計算目的として最も適切なものを次の中から選び、その記号（ア～カ）を解答用紙の所定の欄に記入しなさい。

ア 原価管理目的　　イ 製品原価計算目的　　ウ 構造的意思決定目的
エ 利益管理目的　　オ 業務的意思決定目的　　カ 価格計算目的

問２ 本問における機械の賃借料節約額は、自製案の選択にとって、いかなる原価といえるか。最も適切なものを次の中から選び、その記号（ア～キ）を解答用紙の所定の欄に記入しなさい。

ア 直接費　　イ 製造間接費　　ウ 予算原価　　エ 機会原価
オ 埋没原価　　カ 見積原価　　キ 個別費

問３ 部品Ｐを月間2,000個外部購入したほうが、自製する場合に比べて、月間総額でいくら有利または不利かを答えなさい。有利な場合は「Ｘ」、不利な場合は「Ｙ」を解答用紙の所定の欄に記入すること。

問４ 部品Ｐと同じ設備を用いて製品甲（売上高32,770,000円）を生産できるものとする。製品甲を生産する場合、部品Ｐを生産するのに比べ直接材料費は25％、直接労務費は20％、直接作業時間は20％増加する。部品Ｐを外部購入し製品甲を生産するほうが、部品Ｐを生産する場合に比べて、月間総額でいくら有利または不利かを答えなさい。有利な場合は「Ｘ」、不利な場合は「Ｙ」を解答用紙の所定の欄に記入すること。

解答&解説

〔第4問〕

問1	オ	記号（ア～カ）	
問2	エ	記号（ア～キ）	
問3	1700000 円	記号（XまたはY）	Y
問4	340000 円	記号（ 同 上 ）	Y

（単位：円）

問1

経営意思決定は，①業務的意思決定と②構造的意思決定に分類されることが多い。①業務的意思決定とは，現状の経営構造を前提として，その経営資源の下で常時反復的に展開される業務活動上の意思決定であって，生産販売能力の変更を伴わない，短期の意思決定である。当該問題は，こちらに該当する（オ）。

これに対して，②構造的意思決定とは，経営の基本構造に関する長期的な観点からの意思決定である。生産販売能力の変更を伴う設備投資の意思決定などが代表的である。複数会計年度にわたって経営に影響を及ぼすプロジェクトであるため，将来のキャッシュ・フローの予測を行い，貨幣の時間価値を考慮する必要がある。

問2

特定の用途に資源を利用することを決定すれば，別の用途に当該資源を利用する機会を断念することになる。この逸失機会は，意思決定の際に考慮しなければならないコストである。ここで機会原価とは，犠牲にされる経済的資源を，他の代替的用途（代替案）に振り向けたならば得られるはずの最大の利益額によって測定される原価のことである。当該機械の賃貸料節約額は，これに該当する（エ）。

問３

下記の計算結果により，部品Ｐを外部購入したほうが，自製する場合に比べて，月額総額1,700,000円不利になる。

	自製のケース		購入のケース		（単位：円）
直接材料費	7,000,000				
直接労務費	13,000,000				
変動製造間接費	4,800,000				
固定製造間接費	5,200,000		5,200,000		
同種機械賃借料	1,300,000				
部品Ｐ購入原価			26,000,000		
検収費用			1,800,000		差額原価
関連原価合計	31,300,000	－	33,000,000	＝	△ 1,700,000

※変動製造間接費＝製造間接費10,000,000－固定製造間接費5,200,000＝4,800,000

部品Ｐ購入原価＝@13,000×2,000個＝26,000,000

問４

部品Ｐと同じ設備を用いて製品甲を生産するので，修繕部に機械を転用できない。よって，同種機械の賃借料月額1,300,000円は節約できなくなることに注意する。下記の計算結果により，部品Ｐを外部購入し，製品甲を生産するほうが，部品Ｐを生産する場合に比べて，月額総額340,000円不利になる。

	部品Ｐ自製		部品Ｐ購入 製品甲生産		（単位：円）
直接材料費	7,000,000		8,750,000		
直接労務費	13,000,000		15,600,000		
変動製造間接費	4,800,000		5,760,000		
固定製造間接費	5,200,000		5,200,000		
同種機械賃借料	1,300,000		1,300,000		
部品Ｐ購入原価			26,000,000		
検収費用			1,800,000		
製品甲売上高			△ 32,770,000		差額原価
関連原価合計	31,300,000	－	31,640,000	＝	△ 340,000

※製品甲生産について

・直接材料費＝7,000,000×125％＝8,750,000

・直接労務費＝13,000,000×120％＝15,600,000

・変動製造間接費＝4,800,000×120％＝5,760,000

問題

〔第5問〕 下記の＜資料＞は、新日本建設工業株式会社（当会計期間：20×2年4月1日～20×3年3月31日）における20×2年11月の工事原価計算関係資料である。次の設問に解答しなさい。なお、計算の過程で端数が生じた場合は、計算途中では四捨五入せず、最終数値の円未満を四捨五入すること。（32点）

問1 解答用紙の工事原価計算表を作成しなさい。

問2 当社では、当月（11月）に開始した５０８工事については、工事進行基準を採用することを検討している。進捗度の計算について原価比例法を採用することとして、当月末の５０８工事の工事進行基準に基づく完成工事高を計算しなさい。なお、５０８工事の関係資料は次のとおりである。

工事収益総額 ¥1,800,000 見積工事原価総額 ¥1,550,000

問3 当月の重機械運搬費の配賦差異を計算し、それを予算差異と操業度差異に分解しなさい。なお、それらの差異については、有利差異は「A」、不利差異は「B」を解答用紙の所定の欄に記入すること。

＜資料＞

1．受注工事の状況

工事番号	着工	竣工
５０６	20×1年12月	20×2年11月
５０７	20×2年 2月	20×2年11月
５０８	20×2年11月	（未完成）
５０９	20×2年11月	（未完成）

2．月初未成工事原価の内訳

（単位：円）

工事番号	材料費	労務費	外注費	経費
５０６	148,550	70,130	108,110	37,990
５０７	46,440	15,990	35,420	13,330

3．当月の材料費に関する資料

(1) A材料は、汎用の常備資材である。消費単価は、その払出時点で先入先出法を適用して計算している。当月の受払いに関するデータは次のとおりである。

日付	摘要	単価	個数
11月1日	前月繰越	@¥1,700	60個
11日	仕入れ	@¥1,800	350個
13日	５０７工事で消費		270個
17日	５０９工事で消費		125個
20日	仕入れ	@¥1,780	250個
29日	５０８工事で消費		208個

(2) B材料は、工事用の引当材料で、予定購入単価（1kg当たり¥2,900）を設定しているが、工事現場への投入時には材料副費を5％（予定率）加算して工事原価に賦課している。また、当月の工事別現場投入量は次のとおりである。

（単位：kg）

工事番号	５０６	５０７	５０８	５０９
投入量	27	50	36	28

（注）５０６工事においては、当月投入のB材料について最終的に2kgの残材が発生した。これは今後の工事で再利用する予定である。

4．当月の労務費に関する資料

当社では、C作業とD作業について常雇従業員による専門工事を実施している。両作業は補完的な作業であるため、労務費計算としては実際発生額をC作業とD作業の平均賃率で工事に賦課している。当月の関係データは次のとおりである。

⑴　工事別実際作業時間　（単位：時間）

工事番号	506	507	508	509
C作業	10	31	25	16
D作業	13	42	29	20

⑵　当月賃金手当実際発生額

C作業　¥147,750　　D作業　¥181,470

5．当月の外注費に関する資料

当月の外注費として工事台帳に計上した金額は次のとおりである。

工事番号	506	507	508	509
発生額（円）	185,110	291,250	249,880	195,110

このうち次の金額は、外部に委託した施工管理・安全管理業務の支払報酬であったため、その他経費として処理する。

工事番号	506	507	508	509
発生額（円）	31,770	74,470	69,220	44,880

6．経費に関する資料

⑴　当月、工事台帳に記帳した直接経費は解答用紙の工事原価計算表に示すとおりである。

⑵　当社の重機械移動に関する運搬の費用は、作業員を常雇するD作業に関係しており、重機械運搬費として予定配賦法（変動予算方式）を採用している。関係の資料は次のとおりである。なお、固定費から予算差異は生じていない。

ア．当月の変動予算

固定費予算（月額）　¥107,100

変動費率（D労務作業1時間当たり）　@¥880

基準作業時間（D労務作業）　102時間

イ．当月の重機械運搬費実際発生額　¥198,880

⑶　完了した工事については、契約に従い当月中に顧客に引渡しを実施した。その契約に規定される受注者負担の注文履行に伴う次の費用は、販売費及び一般管理費に計上しているが、その他経費として処理することとする。

工事番号	506	507	508	509
発生額（円）	38,320	40,050	—	—

解答&解説

問1

工事原価計算表

20×2年11月

（単位：円）

工事番号	506	507	508	509	合計
月初未成工事原価	364780	111180	——	——	475960
当月発生工事原価					
1．材料費					
(1)A材料費	——	480000	370540	225000	1075540
(2)B材料費	76125	152250	109620	85260	423255
［材料費計］	76125	632250	480160	310260	1498795
2．労務費	40710	129210	95580	63720	329220
3．外注費	153340	216780	180660	150230	701010
4．経費					
(1)直接経費	17,030	59,900	48,770	25,110	150,810
(2)重機械運搬費	25090	81060	55970	38600	200720
(3)その他経費	70090	114520	69220	44880	298710
［経費計］	112210	255480	173960	108590	650240
当月完成工事原価	747165	1344900	——	——	2092065
月末未成工事原価	——	——	930360	632800	1563160

問2

¥ 1080418

問3

重機械運搬費配賦差異 ¥ 1840 記号（AまたはB） A

予算差異 ¥ 260 記号（同上） B

操業度差異 ¥ 2100 記号（同上） A

（単位：円）

問１

(1) 月初未成工事原価〈資料２〉

506工事：148, 550＋70, 130＋108, 110＋37, 990＝364, 780

507工事：46, 440＋15, 990＋35, 420＋13, 330＝111, 180　　合計：475, 960

(2) 材料費〈資料３〉

① Ａ材料費

〈先入先出法〉

材料元帳

月	日	摘　要	受入 数量（個）	受入 単価（円）	受入 金額（円）	払出 数量（個）	払出 単価（円）	払出 金額（円）	残高 数量（個）	残高 単価（円）	残高 金額（円）
11	1	前月繰越	60	1, 700	102, 000				60	1, 700	102, 000
	11	仕入れ	350	1, 800	630, 000				60 350	1, 700 1, 800	102, 000 630, 000
	13	507工事で消費				60 210	1, 700 1, 800	102, 000 378, 000	140	1, 800	252, 000
	17	509工事で消費				125	1, 800	225, 000	15	1, 800	27, 000
	20	仕入れ	250	1, 780	445, 000				15 250	1, 800 1, 780	27, 000 445, 000
	29	508工事で消費				15 193	1, 800 1, 780	27, 000 343, 540	57	1, 780	101, 460
	30	次月繰越				57	1, 780	101, 460			
			660	―	1, 177, 000	660	―	1, 177, 000			

507工事：102, 000＋378, 000＝480, 000

508工事：27, 000＋343, 540＝370, 540

509工事：225, 000　　合計：1, 075, 540

② Ｂ材料費

506工事：@2, 900×105％×（27kg－２kg）＝76, 125

507工事：@2, 900×105％×50kg＝152, 250

508工事：@2, 900×105％×36kg＝109, 620

509工事：@2, 900×105％×28kg＝85, 260　　合計：423, 255

⑶　労務費〈資料４〉

①　工事別実際作業時間（Ｃ作業＋Ｄ作業）

506工事：10時間＋13時間＝23時間

507工事：31時間＋42時間＝73時間

508工事：25時間＋29時間＝54時間

509工事：16時間＋20時間＝36時間　　合計：186時間

②　配賦率＝(147,750＋181,470)÷186時間[①合計]＝@1,770

③　配賦額（＝配賦率[②]×工事別実際作業時間[①]）

506工事：@1,770×23時間＝40,710

507工事：@1,770×73時間＝129,210

508工事：@1,770×54時間＝95,580

509工事：@1,770×36時間＝63,720　　合計：329,220

⑷　外注費〈資料５〉

506工事：185,110－31,770＝153,340

507工事：291,250－74,470＝216,780

508工事：249,880－69,220＝180,660

509工事：195,110－44,880＝150,230　　合計：701,010

⑸　重機械運搬費　〈資料６⑵〉

①　固定費率＝固定費予算107,100÷基準作業時間102時間＝@1,050

②　予定配賦率＝変動費率＋固定費率＝@880＋@1,050＝@1,930

③　予定配賦額

506工事：@1,930×13時間＝25,090

507工事：@1,930×42時間＝81,060

508工事：@1,930×29時間＝55,970

509工事：@1,930×20時間＝38,600　　合計：200,720（予定配賦額）

⑹　その他経費〈資料５，資料６⑶〉

①　その他経費＝外部に委託した施工管理・安全管理業務の支払報酬[※資料5]

＋受注者負担の注文履行に伴う費用[※資料6⑶]

506工事：31,770＋38,320＝70,090

507工事：74, 470＋40, 050＝114, 520

508工事：69, 220

509工事：44, 880　　　　合計：298, 710

問２　508工事の完成工事高＝工事収益総額×（当月発生工事原価[※問1解答]÷見積工事原価総額）

＝1, 800, 000×（930, 360÷1, 550, 000）≒1, 080, 418. 06…＝1, 080, 418

問３

(1)　重機械運搬費配賦差異＝予定配賦額[※問1(5)]－実際発生額[※資料6(2)イ]

＝200, 720－198, 880＝＋1, 840（有利差異）

(2)　D作業実際作業時間＝13時間＋42時間＋29時間＋20時間＝104時間

(3)　予算差異＝｛固定費予算＋（変動費率×実際作業時間[(2)]）｝－実際発生額

＝｛107, 100＋（@880×104時間）｝－198, 880＝△260（不利差異）

(4)　操業度差異＝固定費率×（実際作業時間[(2)]－基準作業時間）

＝@1, 050×（104時間－102時間）＝＋2, 100時間（有利差異）

(5)　**【参考】予算差異と操業度差異の図解**

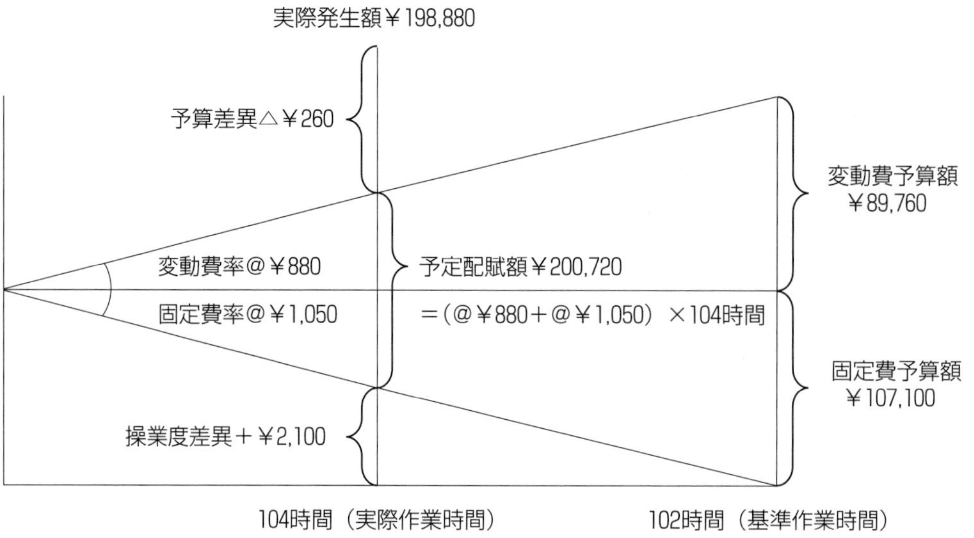

解答用紙

○コピーしてご使用ください（本試験の用紙サイズは「Ｂ４」となります）。
○解答用紙は、一般財団法人建設業振興基金のホームページからもダウンロードできます。

解答用紙

〔第1問〕 解答にあたっては、各問とも指定した字数以内（句読点を含む）で記入すること。

問1

									10									20					25		

得
点

5

10

問2

									10									20					25

〔第2問〕

記号（AまたはB）

1	2	3	4	5	6

〔第3問〕

No.101 現場　¥

No.102 現場　¥

No.103 現場　¥

No.104 現場　¥

〔第4問〕

問1

20×3 年度　¥　　記号（AまたはB）

20×4 年度　¥　　記号（AまたはB）

問2

¥　　記号（AまたはB）

〔第５問〕

問１

完成工事原価報告書

自　20×8年7月1日
至　20×8年7月31日

X建設工業株式会社

（単位：円）

Ⅰ．材料費		
Ⅱ．労務費		
（うち労務外注費	）	
Ⅲ．外注費		
Ⅳ．経　費		
（うち人件費	）	
完成工事原価		

問２

¥

問３

① 重機械部門費予算差異　¥　　記号（AまたはB）

② 重機械部門費操業度差異　¥　　記号（　同　上　）

第33回　解答用紙

〔第１問〕　解答にあたっては、各問とも指定した字数以内（句読点を含む）で記入すること。

問１

得点

問２

〔第2問〕

記号（ア～ス）

1	2	3	4	5

〔第3問〕

問1　直接配賦法　¥

問2　階梯式配賦法　¥

問3　相互配賦法－連立方程式法　¥

〔第4問〕

問1　当月の差額原価　円　代替案　（1または2）

問2　当月の差額原価　円　代替案　（ 同　上 ）

問3　当月の差額原価　円　代替案　（ 同　上 ）

問4　当月の差額利益　円　代替案　（ 同　上 ）

〔第5問〕

問1

完成工事原価報告書

自 20×1 年 10 月 1 日
至 20×1 年 10 月 31 日

X建設工業株式会社

（単位：円）

Ⅰ．材料費 　　　　　　　　　　　　　□□□□□

Ⅱ．労務費 　　　　　　　　　　　　　□□□□□

Ⅲ．外注費 　　　　　　　　　　　　　□□□□□

Ⅳ．経　費 　　　　　　　　　　　　　□□□□□

　　（うち人件費 □□□□□□ ）

　　完成工事原価 　　　　　　　　　　□□□□□

問2

¥ □□□□□

問3

① 運搬車両部門費予算差異　　¥ □□□　　記号（AまたはB）□

② 運搬車両部門費操業度差異　¥ □□□　　記号（ 同 上 ）□

第32回　解答用紙

〔第１問〕　解答にあたっては、各問とも指定した字数以内（句読点を含む）で記入すること。

問１

得点

問２

〔第２問〕

記号（ア～タ）

1	2	3	4	5

〔第３問〕

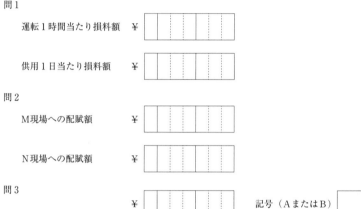

問１

運転１時間当たり損料額　¥

供用１日当たり損料額　¥

問２

M現場への配賦額　¥

N現場への配賦額　¥

問３

¥　　記号（AまたはB）

〔第４問〕

問１

千円

問２

年

問３

%

問４

千円

問５

年

〔第5問〕

問1　走行距離1km当たり車両費予定配賦率

車両F　[　　　　] 円/km

車両G　[　　　　] 円/km

問2

工事原価計算表

20×7年7月

(単位：円)

工事番号	781	782	783	784	合　計
月初未成工事原価			―――	―――	
当月発生工事原価					
1．材料費					
(1)A仮設資材費					
(2)B引当材料費					
[材料費計]					
2．労務費					
(うち労務外注費)					
3．外注費					
4．経　費					
(1)車両部門費					
(2)重機械部門費					
(3)出張所経費配賦額					
[経費計]					
当月完成工事原価				―――	
月末未成工事原価	―――	―――	―――		

問3

① 材料副費配賦差異　¥[　　　　]　記号（AまたはB）[　]

② 労務費賃率差異　¥[　　　　]　記号（　同　上　）[　]

③ 重機械部門費操業度差異　¥[　　　　]　記号（　同　上　）[　]

第31回 解答用紙

〔第１問〕 解答にあたっては、各問とも指定した字数以内（句読点を含む）で記入すること。

問１

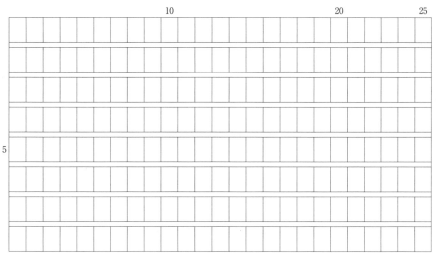

得点	

問２

〔第2問〕

記号（ア～ネ）

1	2	3	4	5	6	7	8

〔第3問〕

問1

¥

問2

¥

問3

¥ 　記号（AまたはB）

〔第4問〕

問1

(1) 　円

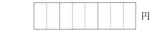

(2) 　円

問2

(1) 　円

(2) 　円

(3) 　円

問3

(1) 　X + 　円

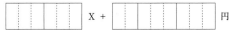

(2) 　X + 　円

(3) 　個以上

問4

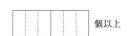

個以上

問5

(1) 　個以上

(2) 　記号（AまたはB）

〔第5問〕

問1

完成工事原価報告書

自　20×8年10月1日
至　20×8年10月31日

X建設工業株式会社

（単位：円）

Ⅰ．材料費		
Ⅱ．労務費		
（うち労務外注費		）
Ⅲ．外注費		
Ⅳ．経　費		
（うち人件費		）
完成工事原価		

問2

¥

問3

① 重機械部門費予算差異　¥　　記号（AまたはB）

② 重機械部門費操業度差異　¥　　記号（　同　上　）

第30回 解答用紙

〔第1問〕 解答にあたっては、各問とも指定した字数以内（句読点を含む）で記入すること。

問1

得点	

問2

〔第2問〕

記号（AまたはB）

1	2	3	4	5

〔第3問〕

問1

補助部門費配賦表

(単位：円)

項目	施工部門		補助部門		
	第1部門	第2部門	(修繕部門)	(運搬部門)	(管理部門)
部門費合計					
補助部門費					
(管理部門費)					
(運搬部門費)					
(修繕部門費)					
合計					

問2

〔固定費〕

補助部門費配賦表

(単位：円)

項目	施工部門		補助部門		
	第1部門	第2部門	(運搬部門)	(修繕部門)	(管理部門)
部門費合計					
補助部門費					
(管理部門費)					
(修繕部門費)					
(運搬部門費)					
合計					

〔変動費〕

補助部門費配賦表

(単位：円)

項目	施工部門		補助部門		
	第1部門	第2部門	(修繕部門)	(運搬部門)	(管理部門)
部門費合計					
補助部門費					
(管理部門費)					
(運搬部門費)					
(修繕部門費)					
合計					

〔第4問〕

問1 ＿＿＿＿ 記号（ア～カ）

問2 ＿＿＿＿ 記号（ア～キ）

問3 ＿＿＿＿ 円 記号（XまたはY）＿＿

問4 ＿＿＿＿ 円 記号（ 同 上 ）＿＿

〔第5問〕

問1

工事原価計算表

20×2年11月 （単位：円）

工事番号	506	507	508	509	合 計
月初未成工事原価			――	――	
当月発生工事原価					
1．材料費					
(1)A材料費	――				
(2)B材料費					
［材料費計］					
2．労務費					
3．外注費					
4．経費					
(1)直接経費	17,030	59,900	48,770	25,110	150,810
(2)重機械運搬費					
(3)その他経費					
［経費計］					
当月完成工事原価			――	――	
月末未成工事原価	――	――			

問2

¥ ＿＿＿＿

問3

重機械運搬費配賦差異 ¥ ＿＿＿＿ 記号（AまたはB）＿＿

予算差異 ¥ ＿＿＿＿ 記号（ 同 上 ）＿＿

操業度差異 ¥ ＿＿＿＿ 記号（ 同 上 ）＿＿